De: Pastor
A: Pastor

Princípios para ser um pastor segundo o coração de Deus

Hernandes Dias Lopes

©2008 por Hernandes Dias Lopes

1ª edição: agosto de 2008
15ª reimpressão: julho de 2024

Revisão: Regina Aranha e Andréa Filatro
Diagramação: Sandra Oliveira
Capa: Souto Design
Editor: Aldo Menezes
Coordenador de produção: Mauro Terrengui
Impressão e acabamento: Imprensa da Fé

As opiniões, interpretações e conceitos desta obra são de responsabilidade de quem a escreveu e não refletem necessariamente o ponto de vista da Hagnos.

Todos os direitos desta edição reservados à
EDITORA HAGNOS LTDA.
Rua Geraldo Flausino Gomes, 42, conj. 41
CEP 04575-060 – São Paulo, SP
Tel.: (11) 5990-3308

E-mail: hagnos@hagnos.com.br | Home page: www.hagnos.com.br

Editora associada à ABDR (Associação Brasileira de Direitos Reprográficos)

Dados Internacionais de Catalogação na Publicação (CIP)
(Câmara Brasileira do Livro, SP, Brasil)

Lopes, Hernandes Dias
De pastor a pastor: princípios para ser um pastor segundo o coração de Deus / Hernandes Dias Lopes. – São Paulo: Hagnos, 2008.

Bibliografia
ISBN 978-85-7742-033-9

1. Liderança cristã   2. Teologia pastoral   I. Título.

08-04469   CDD-253

Índices para catálogo sistemático:
1. Pastores: Função e ministério:
Teologia pastoral   253

Dedicatória

Dedico este livro aos presbíteros da Primeira Igreja Presbiteriana de Vitória, homens de Deus, que têm sido meus pastores e têm cuidado de mim e da minha família com sabedoria e graça, dando-nos suporte e apoio integral no ministério.

Sumário

Prefácio...7

1. Os perigos do pastor......................... 11
2. A vocação do pastor...........................35
3. O preparo do pastor 47
4. A vida devocional do pastor 65
5. Os atributos do pastor.......................89
6. Os sofrimentos do pastor 109
7. Os compromissos do pastor 119
8. O salário do pastor 135

Notas...155

Prefácio

Este livro é grito da minha alma e o soluço do meu coração. Foi escrito com dor e, às vezes, até com lágrimas. Por outro lado, escrevi-o com um senso profundo de alegria e gratidão. Estou convencido de que ser pastor é um bendito privilégio e uma grande responsabilidade. Ser embaixador de Deus e ministro da reconciliação é a missão mais nobre, mais sublime e mais urgente que um homem pode exercer na terra. Ser portador de boas novas, pregador do evangelho, consolador dos aflitos, edificador dos santos e pastor de almas é o posto de maior honra que um homem pode ocupar na vida. Nenhuma vantagem financeira deveria desviar-nos dessa empreitada. Nenhuma posição política, por mais estratégica, deveria nos encantar a ponto de desviar-nos do ministério da Palavra. Charles Spurgeon dizia para seus alunos: "Meus filhos, se a rainha da Inglaterra vos convidar para serdes embaixadores em qualquer país do mundo, não vos rebaixeis de posto, deixando de ser embaixadores do Rei dos reis e do Senhor dos senhores".

Estou convencido de que a maior necessidade que temos na igreja contemporânea é de um grande despertamento espiritual na vida dos pastores. Se os pastores forem gravetos secos a arder, até lenha verdade pegará fogo. Concordo com Dwight Moody quando disse que o despertamento da igreja tem início quando se acende uma fogueira no púlpito. Se por um lado os obreiros são o principal problema da obra; por outro, eles também são o principal instrumento para o crescimento da obra. Precisamos desesperadamente de um avivamento no púlpito!

Precisamos de pastores que amem a Deus mais do que seu sucesso pessoal. Precisamos de pastores que se afadiguem na Palavra e tragam alimento nutritivo para o povo. Precisamos de pastores que conheçam a intimidade de Deus pela oração e sejam exemplo de piedade para o rebanho. Precisamos de pastores que deem a vida pelo rebanho em vez de explorarem o rebanho. Precisamos de pastores que tenham coragem de dizer "não" quando todos estão dizendo "sim" e, dizer "sim", quando a maioria diz "não". Precisamos de pastores que não se dobrem ao pragmatismo nem vendam sua consciência por dinheiro ou sucesso. Precisamos de pastores fiéis e não de pastores populares. Precisamos de homens quebrantados e não de astros ensimesmados.

Talvez um dos grandes problemas contemporâneos seja que temos estrelas demais na constelação da grei evangélica brasileira. Há pastores que gostam de ser tratados como astros de cinema e como atores de televisão. É importante que se diga, entretanto,

Prefácio

que as estrelas só brilham onde o sol não está brilhando. Onde o Sol da Justiça brilha, não há espaço para o homem brilhar. Deus não divide sua glória com ninguém. Somente Jesus deve ser exaltado na igreja. Toda a glória dada ao homem é glória vazia, é vanglória. O culto à personalidade é idolatria e uma abominação para o Senhor.

Minha ardente expectativa é que os pastores sejam os primeiros a acertarem sua vida com Deus, a chorarem entre o pórtico e o altar e clamarem a Deus por um tempo de restauração. O grande reavivamento que veio sobre a Igreja Coreana no começo do século vinte foi resultado do quebrantamento dos pastores. Sou testemunha ocular desse glorioso despertamento espiritual na igreja coreana. Chegou o tempo de sermos conhecidos como homens de Deus como Elias e Eliseu. Chegou o tempo das pessoas serem informadas que na cidade onde moramos há homens de Deus absolutamente confiáveis como Samuel. Chegou o tempo das pessoas reconhecerem que a Palavra de Deus na nossa boca é verdade. Chegou o tempo de sermos homens como Paulo, que pregava com lágrimas e poder, seja na prisão ou em liberdade, com dinheiro ou passando privações, na saúde ou quando acicatado pelos espinhos. Chegou o tempo de sermos pastores como Pedro que não vendia a graça de Deus por dinheiro, não aceitava ofertas hipócritas e mesmo desprovido de prata e ouro, via o poder de Deus realizando grandes prodígios por seu intermédio. Chegou o tempo de sermos pastores como João Batista que estava pronto a perder a vida, mas jamais a negociar os absolutos de Deus em seu ministério. Chegou o tempo de imitarmos o grande e supremo pastor das ovelhas, Jesus Cristo, que foi manso e humilde de coração, amou suas ovelhas até o fim e deu por elas sua própria vida. Que Deus nos dê pastores segundo o seu coração!

Hernandes Dias Lopes

Capítulo 1

Os perigos do pastor

Tenho percorrido todo o Brasil e pregado em centenas de igrejas, de várias denominações. Tenho conversado com centenas de pastores e líderes da igreja evangélica brasileira. Tenho visto coisas maravilhosas: pastores fiéis pregando com zelo a palavra de Deus, vidas sendo transformadas pela ação regeneradora do Espírito Santo. Tenho visto lares sendo modificados e igrejas sendo edificadas na verdade. Por outro lado, tenho visto, também, outro cenário. Este cinzento e tempestuoso, acenando a presença de uma devastadora tempestade. Trata-se de uma crise de integridade teológica e moral na classe pastoral. Essa crise está se espalhando celeremente como um rastilho de pólvora, atingindo toda a igreja. As consequências desse terremoto abalam as próprias estruturas da sociedade.

Viajo com certa frequência para o Canadá e Estados Unidos. Por vezes, quando faço a imigração, ao dizer que sou pastor, imediatamente sou encaminhado para uma sala especial, para prestar esclarecimento mais profundo acerca das minhas motivações para entrar no país. Em tempos de outrora, ao simples fato de alguém apresentar-se como pastor, as portas se abriam; hoje, portas se fecham. Conheço colegas pastores que foram impedidos de concretizar a compra de um veículo financiado logo que a empresa tomou conhecimento que o comprador era pastor. A classe pastoral vive a crise do descrédito.

Em um passado não muito distante, quando uma jovem se candidatava para se casar com um pastor, isso era como um passaporte para um casamento feliz. Hoje, casar-se com pastor é um contrato de risco. Há muitos pastores que são um fenômeno no púlpito, mas têm um desempenho pífio dentro de casa. São amáveis com as ovelhas e truculentos com a esposa. Há muitos pastores em crise no casamento. Há muitos filhos de pastor revoltados e até decepcionados com a igreja.

Estou convencido de que a crise moral que assola a nação respinga na igreja e reflete a crise moral também presente no ministério pastoral. Uma pesquisa feita recentemente no Brasil apontou os políticos, a polícia e os pastores como as três classes mais desacreditadas do Brasil. Estamos vivendo uma inversão de valores. Estamos vivendo uma crise de integridade. Aqueles que deveriam ser os guardiões da ética tropeçam nela. Aqueles que deveriam ser o paradigma de uma vida ilibada estão se imiscuindo em vergonhosos escândalos.

Minha percepção é que os pastores estão sob sérios perigos e quero a seguir destacar alguns:

Os perigos do pastor

HÁ PASTORES NÃO CONVERTIDOS NO MINISTÉRIO

É doloroso que alguns daqueles que se levantam para pregar o evangelho aos outros não tenham sido ainda alcançados por esse mesmo evangelho. Há quem pregue arrependimento sem jamais tê-lo experimentado. Há quem anuncie a graça sem jamais ter sido transformado por ela. Há quem conduza os perdidos à salvação e ainda está perdido:[1]

Judas Iscariotes foi apóstolo de Jesus. Foi o único no grupo que recebeu um cargo de confiança. Foi nomeado para cuidar da tesouraria do grupo apostólico. Desfrutava de total confiança dos seus condiscípulos. Jamais houve alguma suspeita deles acerca de sua integridade. Mesmo no Cenáculo, quando Jesus o apontou como traidor, os outros discípulos não compreenderam do que se tratava. Judas chegou a liderar os discípulos em um gesto de revolta contra a atitude de Maria, que quebrou um vaso de alabastro, com um caro perfume para ungir Jesus. Ele era um falso filantropo. Ele era ladrão. Seu coração não era reto diante de Deus. Suas intenções estavam em desacordo com os propósitos divinos. Certamente ele pregou aos outros, mas não pregou a si mesmo. Levou outros à salvação, mas ele mesmo não foi alcançado pela salvação. Ele viveu uma mentira. Sua vida foi um engodo. Sua morte foi uma tragédia. Seu destino foi a perdição.

No século 17, Richard Baxter, puritano de escol na Inglaterra, em seu célebre livro, *O pastor aprovado*, já alertava para o fato de existirem pastores que precisavam nascer de novo. Jesus falou

De pastor a pastor

para o mestre da religião judaica, um dos principais dos judeus, chamado Nicodemos, que, se ele não nascesse de novo, não poderia ver o Reino de Deus e, se ele não nascesse da água e do Espírito, não poderia entrar no Reino de Deus.[2]

Há alguns anos, depois de pregar em um congresso evangélico, um pastor veio ao meu encontro, com o rosto banhado de lágrimas. Ele me abraçou e disse: "Eu sou pastor há vários anos. Preguei o evangelho para milhares de pessoas. Levei várias pessoas a Cristo, mas somente hoje estou passando pela bendita experiência do novo nascimento. Eu ainda não era um homem convertido e salvo".

HÁ PASTORES NÃO VOCACIONADOS NO MINISTÉRIO

John Mackay, presidente do Seminário de Princeton, em New Jersey, nos Estados Unidos, em seu livro *O Sentido da Vida*, trata dessa questão maiúscula e fundamental para a sociedade: a vocação. Não podemos subestimar esse tema. Ele deve ser discutido no lar, na igreja, na academia e nas mais nobres instituições humanas. O sentido da vocação é um dos sentidos superiores do homem. É o sentido que o leva a realizar com desinteresse e denodo as maiores empresas. Nos momentos sombrios, proporciona-lhe luz; nos transes difíceis, incute-lhe novo ânimo. No meu livro *Mensagens selecionadas*, menciono três verdades importantes sobre a vocação.

Em primeiro lugar, *a vocação é o vetor que rege nossas escolhas.* Vivemos em uma sociedade embriagada pelo lucro. As pessoas são valorizadas pelo que possuem, e não pela dignidade do caráter. O dinheiro e o lucro tornaram-se os vetores das escolhas profissionais. No mercado global e consumista, o lucro é o oxigênio que rega os pulmões da sociedade. A riqueza em si não satisfaz, mas o senso do dever cumprido, movido pela alavanca da vocação, traz uma alegria indizível.

Em segundo lugar, *a vocação é a consciência de estar no lugar certo, fazendo a coisa certa*. O problema da vocação é talvez o problema social mais grave e urgente, aquele que constitui o fundamento de todos os outros. O problema social não é apenas uma questão de divisão de riquezas, produtos do trabalho, mas um problema de divisão de vocações, modos de produzir. Que tragédia quando grande quantidade de homens de um país procura cargos, em vez de vocações!

Em terceiro lugar, *a vocação pode ser tanto um pendor quanto um chamado*. Em geral, encontra-se a vocação por um destes dois meios: o descobrimento de uma capacidade especial, ou a visão de uma necessidade urgente. A vocação para o ministério é um chamado específico de Deus, conjugado por uma necessidade urgente e uma capacitação especial.

Há muitos pastores que jamais foram chamados por Deus para o ministério. Eles são voluntários, mas não vocacionados. Entraram pelos portais do ministério por influências externas, e não por um chamado interno e eficaz do Espírito Santo. Foram motivados pela sedução do *status* ministerial ou foram movidos pelo *glamour* da liderança pastoral, mas jamais foram separados por Deus para esse mister.

De pastor a pastor

Há aqueles que entram no ministério com a motivação errada. Abraçam o ministério por causa do lucro; outros, por causa da fama; outros ainda, por acomodação. Há aqueles que tentam vestibular para medicina, direito, engenharia e, por não lograrem êxito, chegam à conclusão de que Deus os está chamando para o ministério. Louvo a posição de John Jowett, quando diz em seu livro *O pregador, sua vida e sua obra* que a convicção do chamado e a certeza da vocação não ocorrem quando vemos todas as portas se fechando e, depois, contemplamos a porta aberta do ministério. Vocação é quando você tem todas as outras portas abertas, mas só consegue enxergar a porta do ministério. Vocação é como algemas invisíveis. Você não pode fugir permanentemente desse chamado. O profeta Jeremias tentou desistir do seu ministério, mas isso foi como fogo em seus ossos.

HÁ PASTORES PREGUIÇOSOS NO MINISTÉRIO

É lamentável que haja aqueles que abraçam a mais sublime das vocações e sejam relaxados no seu exercício. É deplorável que haja pastores que têm as mãos frouxas na mais importante e urgente das tarefas. É incompreensível que alguns que exerçam um trabalho que os anjos gostariam de fazer sejam remissos e lerdos na obra.

O ministério é um trabalho excelente, mas também um trabalho árduo.[3] O apóstolo Paulo disse que os presbíteros que se afadigam na palavra são dignos de redobrados honorários.[4] É importante destacar que o exercício do ministério implica em se afadigar no estudo da palavra. Os preguiçosos jamais cavarão as profundezas da verdade. Eles jamais se afadigarão na busca de alimento nutritivo para o povo. Eles jamais se empenharão em proteger as ovelhas de Cristo.[5]

Paulo diz que aqueles que aspiram ao episcopado, excelente obra almejam.[6] O pastorado é uma obra, e uma obra excelente. Não é uma obra para gente preguiçosa, mas uma obra que exige todo esforço, todo empenho e todo zelo.

Há pastores que dormem muito, trabalham pouco e querem todas as recompensas. Estão atrás do bônus, mas não querem o ônus. Querem os lauréis, jamais a fadiga. Querem as vantagens, jamais o sacrifício. É triste perceber que muitos pastores não suam a camisa, não arregaçam as mangas, não trabalham a ponto da exaustão. São obreiros relaxados, pastores de si mesmos, que apascentam a si mesmos, em vez de pastorear o rebanho. Estão atrás de facilidades e de vantagens pessoais, sem jamais investir a vida na vida das ovelhas.[7]

HÁ PASTORES GANANCIOSOS NO MINISTÉRIO

Há pastores que estão mais interessados no dinheiro das ovelhas do que na salvação delas. Há pastores que negociam o ministério, mercadejam a palavra e transformam a igreja em um negócio lucrativo.[8] Há pastores que organizam igrejas como uma empresa particular, onde prevalece o nepotismo. Transformam o púlpito em um balcão, o evangelho em um produto, o templo em uma praça de negócios, e os crentes em consumidores. São obreiros fraudulentos, gananciosos, avarentos e enganadores. São amantes do dinheiro e estão embriagados pela sedução da riqueza.

Há pastores que mudam a mensagem para auferir lucros. Pregam prosperidade e enganam o povo com mensagens tendenciosas para abastecer a si mesmos.

Hoje estamos assistindo ao fenômeno do mercadejamento da fé. Pastores e mais pastores estão se desvinculando da estrutura eclesiástica e rompendo com suas denominações para criar ministérios particulares, em que o líder se torna o dono da igreja. A igreja passa a ser uma propriedade particular do pastor. O ministério da igreja torna-se um governo dinástico, em que a esposa é ordenada, e os filhos são sucessores imediatos. Não duvidamos de que Deus chame alguns para um ministério específico em que toda a família esteja envolvida e engajada no projeto, mas a multiplicação indiscriminada desse modelo é deveras preocupante.

HÁ PASTORES INSTÁVEIS EMOCIONALMENTE NO MINISTÉRIO

Há pastores doentes emocionalmente no exercício do pastorado. Deveriam estar sendo pastoreados, mas estão pastoreando. Deveriam ser cuidados, mas estão cuidando dos outros. Deveriam estar sendo tratados emocionalmente, mas estão orientando outros.

As igrejas precisam ser mais criteriosas no envio de candidatos aos seminários. Um pastor sem equilíbrio emocional pode trazer grandes prejuízos para si, para sua família e para a igreja.

Os perigos do pastor

O ministério tem suas complexidades e exige obreiros bem resolvidos e saudáveis emocionalmente. O pastor lida com tensões e, se ele não for uma pessoa centrada e equilibrada, desarticula-se emocionalmente e pode gerar conflitos ao seu redor. Muitos problemas nas igrejas foram criados pela inabilidade de seus pastores. A condução errada de uma situação aparentemente simples, pode desencadear problemas difíceis de ser resolvidos.

O pastor é um homem que precisa de domínio próprio. Há momento em que uma reação intempestiva põe tudo a perder. A precipitação no falar pode suscitar contendas e conflitos enormes. A maneira errada de falar pode desencadear verdadeiras guerras dentro da igreja. A truculência no agir pode abrir feridas incuráveis nos relacionamentos.

Não há região mais escorregadia para um obreiro emocionalmente frágil do que o gabinete pastoral. Muitos pastores têm naufragado nas águas revoltas desse lugar secreto. Mais de 50% das pessoas que entram em um gabinete pastoral são do sexo feminino, e mais de 50% dos assuntos tratados estão ligados à vida sentimental e sexual. Um pastor emocionalmente vulnerável pode envolver-se emocionalmente com suas consulentes ou deixar-se envolver por elas. Há um amontoado de pastores que perderam o ministério dentro de um gabinete pastoral. São como Sansão, verdadeiros gigantes em determinadas áreas da vida, mas fracotes emocionais que se derretem diante da sedução e perdem a visão, o ministério, a família e a própria vida.

De pastor a pastor

HÁ PASTORES COM MEDO DE FRACASSAR NO MINISTÉRIO

O medo é mais do que um sentimento, é um espírito. Paulo escreve a Timóteo, dizendo que Deus não nos deu espírito de covardia, mas de poder, de amor e de moderação.[9] O medo nos paralisa. O medo altera nossa compreensão das coisas. Os discípulos de Jesus, acuados pelo medo, viram-no andando sobre as ondas e gritaram, aterrados: "É um fantasma"![10] Em vez de olharem para Jesus como a solução de seus problemas, viram-no como o agravamento da situação. O medo embaçou-lhes a visão e entorpeceu-lhes a alma. Jesus contou a parábola dos talentos e disse que o homem que recebeu apenas um talento, com medo de fracassar, enterrou-o e foi desqualificado pelo seu Senhor:[11]

Há muitos pastores com medo de fracassar no púlpito, no aconselhamento e na administração. Há pastores com medo de relacionar-se com sua liderança e com medo da opinião do povo. Há pastores que agem como o jabuti, pois se encolhem debaixo de uma casca grossa, pensando que essa falsa blindagem os protegerá de decepções.

Craig Groeschel escreve sobre esse temor do fracasso narrando uma experiência interessante feita por alguns cientistas. Eis a experiência:

> No meio de uma sala, alguns cientistas penduraram uma penca de bananas frescas em uma estaca. Em seguida, deixaram quatro macacos soltos na sala. Na mesma hora, os símios esfomeados partiram na direção daquelas bananas amarelinhas.

Os perigos do pastor

Quando tentaram subir na estaca, um dos cientistas jogou água muito gelada sobre todos eles.

Os macacos recuaram, juntaram-se novamente e fizeram uma segunda tentativa. Assim que começaram a subir na estaca, receberam outra vez o banho de água gelada. Depois de várias tentativas sem sucesso, os macacos se convenceram de que o fracasso era inevitável e, por fim, desistiram de tentar.

No dia seguinte, os pesquisadores tiraram um dos quatro macacos da sala e o substituíram por outro que não participara da experiência no dia anterior. O que o novato fez? Foi com tudo para pegar as bananas. Mas, antes mesmo que ele chegasse à base da estaca, os três veteranos o puxaram. Destemido, o macaco novato tentou mais uma vez e, novamente, foi impedido por seus companheiros. No fim, ele desistiu e se rendeu à atitude fatalista dos demais.

A cada dia, os cientistas substituíam um dos macacos originais. No quinto dia, dos quatro macacos dentro da sala, nenhum deles havia passado pela experiência de levar um banho de água fria. Mesmo assim, a partir daquele momento, toda vez que um macaco novo entrava na sala, os outros o impediam de subir na estaca para pegar as bananas *sem mesmo saber por que o faziam*. A falha dos primeiros quatro condicionou todos os novatos a evitar qualquer tentativa.[12]

Essa experiência não é comum apenas entre macacos, mas também entre indivíduos. Nós nos precavemos com o fracasso dos outros e ficamos com medo de fazer novas tentativas. O medo pode nos privar de coisas maravilhosas que estão ao nosso alcance. Não permita que o medo do fracasso transforme você em um macaco de laboratório.[13] O fracasso é uma circunstância, nunca uma característica pessoal. Thomas Alva Edison fez cerca de 2.000 experiências antes de inventar a lâmpada elétrica. Alguém certa feita lhe perguntou se não se sentia frustrado depois de tantas experiências. Ele respondeu: "Não! Eu inventei a lâmpada elétrica, e esta foi uma vitória que demandou 2.000 passos". O fracasso só é fracasso quando você não aprende com ele. O fracasso precisa ser seu pedagogo, e não seu coveiro. O fracasso não dura para sempre. Quando Deus é o parceiro de seus sonhos, ouse sonhar grande e até correr riscos!

HÁ PASTORES CONFUSOS TEOLOGICAMENTE NO MINISTÉRIO

A igreja evangélica brasileira vive um fenômeno estranho. Estamos crescendo explosivamente, mas ao mesmo tempo estamos perdendo vergonhosamente a identidade de evangélicos. O que na verdade está crescendo em nosso país não é o evangelho, mas outro evangelho, um evangelho híbrido, sincrético e místico. Vemos prosperar nessa terra uma igreja que se diz evangélica, mas que não tem evangelho. Prega sobre prosperidade, e não sobre salvação. Fala de tesouros na terra, e não de tesouros no céu.

Há muitos ventos de doutrinas que sopram todos os dias, e as novidades estão florescendo como cogumelos no canteiro fértil do misticismo brasileiro. A Bíblia é usada de maneira

Os perigos do pastor

mágica para sustentar as heresias de pastores ensandecidos, que buscam a todo o custo o lucro e a promoção pessoal. Nessa babel de novidades no mercado da fé, identificamos alguns tipos de pastores:

Primeiro, *há aqueles que sãos os mentores das novidades.* Esses pastores são verdadeiros marqueteiros. Estão sempre criando alguma novidade para atrair o povo. O problema dessa busca desenfreada pelas novidades é que a palavra de Deus é sonegada ao povo. Em vez de nutrir o povo com o trigo da verdade, abastecem-no com a palha das novidades.[14] Quando um pastor entra por esse caminho, precisa ter muita criatividade, pois uma novidade é atraente por um tempo, mas logo perde seu impacto. Aí é preciso inventar outra novidade. É como chiclete. No começo você mastiga, e ele é doce, mas depois você começa a mastigar borracha.

Segundo, *há aqueles que são massa de manobra.* Há muitos pastores que não conhecem a palavra e não têm nenhuma visão ministerial. Seguem apenas a direção desfocada de seus superiores. São pastores sem rebanho que estão a serviço de causas particulares de obreiros fraudulentos. Esses pastores são apenas transmissores de uma mensagem que não encontraram na palavra, mas a transmitem para o povo como se fosse a palavra de Deus. Esses pastores estão perdidos e fazem errar o povo de Deus.[15]

Terceiro, *há aqueles que deliberadamente abandonaram a sã doutrina.* Alguns dos nossos seminários históricos estão sendo infiltrados por professores de forte tendência liberal. Há professores que não acreditam mais na inerrância e suficiência das

Escrituras. Há aqueles que não creem na literalidade do registro de Gênesis 1 e 2. Dizem-se cristãos, mas, ao mesmo tempo, são discípulos de Darwin, e não de Cristo. Dizem crer na Bíblia, mas, ao mesmo tempo, são evolucionistas. Outros dizem estar servindo a Deus, mas negam a inspiração das Escrituras. De fato, esses obreiros não passam de lobos que se infiltram no meio do rebanho para devorar as ovelhas.[16] Muitos pastores inexperientes, discipulados por esses mestres do engano, abandonam o caminho da verdade e se capitulam à heresia. É importante afirmar que o liberalismo é um veneno mortífero. Aonde ele chega, mata a igreja. Há muitas igrejas mortas na Europa, na América do Norte e, agora, há igrejas que estão flertando com esse instrumento de morte também no Brasil. Não temos nenhum registro de um liberal que tenha edificado uma igreja saudável. Não temos nenhum registro de um liberal que tenha sido instrumento de Deus para um grande reavivamento espiritual. O liberalismo deve ser abandonado, se o que queremos é uma igreja sólida na palavra, piedosa e comprometida com a obra missionária. Não há antídotos para uma igreja que abandona a sã doutrina e anda de braços dados com o liberalismo. Quando uma igreja chega ao ponto de abandonar sua confiança na inerrância e suficiência das Escrituras, seu destino é caminhar rapidamente para a destruição.

HÁ PASTORES DESPÓTICOS NO MINISTÉRIO

Há muitos pastores que governam o povo com rigor desmesurado. Agem com truculência e despotismo com as ovelhas de

Deus. Dominam o povo com autoritarismo.[17] Tripudiam sobre aqueles que questionam o seu modelo.

O autoritarismo é uma espécie de insegurança. É complexo de inferioridade travestido de complexo de superioridade. É o medo de dividir o poder e ser rejeitado. Uma liderança imposta não tem valor. Uma liderança estabelecida pelo medo não é digna de um cristão. Eric Fromm, ilustre psiquiatra, diz que há dois tipos de autoridade: a autoridade imposta e a autoridade adquirida. O nosso modelo de liderança é aquele exercido por Jesus. Ele foi um líder servo. A liderança não é um posto de privilégios, mas uma plataforma de serviço. O líder não é aquele que grita mais alto, mas aquele que conquista o coração de todos pelo exemplo e serve os liderados com amor. O apóstolo Pedro diz que o presbítero não deve agir como dominador do rebanho, mas como seu modelo.[18]

O apóstolo João denunciou a prática egoísta e truculenta de Diótrefes, que gostava de ter a primazia na igreja.[19] Ele via cada pessoa que chegava à igreja como um rival, e não como um parceiro. Ele se sentia ameaçado pela presença dos crentes novos. E não apenas deixava de receber as pessoas com amor, mas se esforçava para retirá-las da igreja e afastá-las do seu caminho de vaidades. Para Diótrefes, o ministério era uma plataforma de autopromoção e não uma oportunidade para servir.

HÁ PASTORES SENDO VÍTIMAS DE DESPOTISMO NO MINISTÉRIO

Há muitos pastores que são reféns de líderes truculentos e manipuladores. Esses líderes alimentam a síndrome de donos da igreja. Esses pseudolíderes tratam o pastor como se ele fosse um empregado que devesse estar sempre debaixo do jugo deles.

Há muitas igrejas em que os presbíteros ou diáconos se consideram patrões do pastor e chefes da igreja. São líderes que não apascentam o rebanho nem permitem que o pastor o faça. Eles olham para o pastor como um rival que lhes ameaça tomar o poder. São mais críticos do pastor do que seus cooperadores. Eles trabalham como fiscais do pastor, e não como incentivadores dele. Estão sempre prontos a destacar os pontos vulneráveis do pastor, mas jamais lhe encorajam com um elogio sincero. Usam constantemente o crachá de inspetores do pastor, em vez de serem copastores do rebanho.

Há muita disputa de poder na liderança das igrejas. Essa quebra de braço produz desgaste e muitas lágrimas. A maioria dos pastores sofre mais com os relacionamentos tensos da liderança do que com as lidas do ministério. Os líderes dão mais trabalho que as ovelhas. Há muitos pastores feridos, machucados, pisados e humilhados por líderes truculentos. Há muitos líderes que tornam a vida do pastor um pesadelo. Há muitos pastores frustrados e muitos filhos de pastor revoltados com a maneira com que a família pastoral é tratada. Precisamos de cura para esse relacionamento!

HÁ PASTORES ILUDIDOS NO MINISTÉRIO

O ministério não é um mar de rosas, mas um campo de lutas renhidas. O ministério não é uma sala *VIP* nem uma estrada coberta por um tapete vermelho. O ministério não é um parque de diversões nem uma colônia de férias. O ministério é enfrentamento, é luta sem trégua. Quem entra no ministério precisa estar consciente de que há oposição de fora e pressão por dentro. Há batalhas externas e internas. Há conflitos suscitados pelo inimigo, e guerras travadas pelos irmãos.

O apóstolo Paulo enfrentou a oposição dos inimigos e também de membros das igrejas. Ser ministro é viver constantemente sob pressão. O ministério é uma arena de lutas com o poder das trevas e com o poder da carne. Não há ministério sem tensão. Não há ministério indolor. Não há ministério sem lágrimas. Ser pastor é cruzar um deserto escaldante, em vez de pisar os tapetes aveludados da fama. Ser pastor é a arte de engolir sapos e vomitar diamantes. Ser pastor é estar disposto a investir a vida na vida dos outros sem receber o devido reconhecimento. Ser pastor é amar sem esperar a recompensa, é dar sem esperar receber de volta. Ser pastor é saber que o nosso galardão não nos é dado aqui, mas no céu.

Entrar para o ministério com uma visão romântica é um grande risco. Isso não quer dizer que o ministério seja um peso ou um fardo. Creio que ser pastor é um grande privilégio. Nenhuma posição na terra deveria seduzir o coração de um pastor a desviar-se do seu foco ministerial. O papel que desempenhamos é tão sublime que os anjos gostariam de fazer o nosso trabalho. Ser embaixador de Deus é melhor do que ser embaixador da nação mais poderosa da terra. Charles Spurgeon dizia para os seus alunos: "Filhos, se a rainha da Inglaterra vos convidar para serdes embaixadores em qualquer lugar do mundo, não vos rebaixeis de posto, deixando de serdes embaixadores do céu". Hoje, vemos muitos pastores deixando o ministério para serem vereadores, deputados ou senadores da República. Trocam o seu direito de primogenitura por um prato de lentilhas. Isso é um equívoco e uma troca infeliz. Muito embora a vocação civil também seja uma sacrossanta vocação, aquele, que Deus chamou para o ministério não deve desviar sua atenção com outros afazeres, ainda que dentre os mais nobres.

HÁ PASTORES COM O CASAMENTO DESTRUÍDO NO MINISTÉRIO

D. A. Carson, em seu livro *The Body* [*O corpo*], diz que uma das classes que mais divorcia no mundo hoje é a classe pastoral. O pastor corre o grande risco de cuidar dos outros e descuidar do cônjuge. O pastor corre o grande risco de dar especial atenção a todos os que o procuram e não dar atenção especial à própria família. O pastor corre o risco de ser um marido ausente e insensível às necessidades emocionais da esposa.

Há muitos pastores que vivem de aparência. Pregam sobre casamento, mas estão com o matrimônio destruído. Aconselham casais em crise, mas não aplicam os mesmos princípios ao seu próprio relacionamento conjugal. Há pastores que pregam uma coisa e praticam outra. São amáveis com os outros e amargos com a esposa. São tolerantes com as ovelhas e implacáveis com os filhos. Há pastores que são anjos no púlpito e demônios dentro do lar.

Esse abismo entre o púlpito e o lar descredencia o ministro, desqualifica o ministério e tira do pastor a unção para exercer com fidelidade e eficácia seu pastorado. Se o pastor não é bênção dentro da sua casa, será um fracasso em público.

O primeiro e mais importante rebanho de um pastor é sua própria família. Nenhum sucesso no ministério compensa o fracasso familiar. A família do pastor é a sustentação do seu ministério. A palavra de Deus diz que aquele que não sabe governar a sua própria casa não está apto a governar a igreja de Deus.[20] Ouvi, algures, alguém afirmar que Noé foi o maior evangelista de todos os tempos. Pois, embora não tenha conseguido levar ninguém para a arca, levou com ele toda a sua família. Há muitos pregadores que são instrumentos para levar muita gente à salvação, mas perdem a sua própria família. O sacerdote Eli foi reprovado por amar mais a seus filhos do que a Deus. Mesmo assim, dedicou tempo aos outros, mas não cuidou dos próprios filhos.[21] O pastor vive constantemente sob a tensão das coisas urgentes e importantes. Ele, de forma constante, é solicitado para atender o urgente e, às vezes, sacrifica no altar do urgente o que é verdadeiramente importante. Cuidar da família é algo importante. Cuidar dos filhos é tarefa importante. Muitas vezes, o pastor corre atrás das coisas urgentes e esquece-se de cuidar da sua própria casa.

Há muitos pastores com a família arrebentada emocionalmente. São delicados com as ovelhas e insensíveis com a família. São amáveis no púlpito e rudes dentro de casa. São ternos com os filhos dos outros e ferinos com seus próprios filhos. Há muitos filhos de pastor amargurados e até revoltados pela maneira como são tratados pelos pais. Eles nunca têm tempo. Estão sempre acudindo os outros, ouvindo os outros e assistindo os outros, mas nunca dedicam tempo para conversar com os próprios filhos. Há muitas mulheres casadas com pastores que vivem em uma imensa solidão, e há muitos filhos de pastor que são órfãos de pais vivos.

Os pastores precisam resgatar, urgentemente, a prioridade de cuidar da família. A igreja é uma bênção e precisamos aprender a amá-la e cuidar dela como a menina dos olhos de Deus, mas não podemos fazer isso em detrimento da própria família. O melhor caminho é que toda a família ame o ministério e trabalhe unida e coesa no sentido de apoiar o ministério pastoral. Quando a família do pastor vê a igreja como rival, isso traz grandes transtornos para o pastor e também para a igreja.

Há pastores descontrolados financeiramente no ministério

O que autentica o trabalho do pastor no púlpito, no gabinete pastoral e nas demais áreas do ministério é sua integridade moral, sua piedade pessoal e sua responsabilidade administrativa. O ministro precisa ser um homem irrepreensível. Sua reputação precisa ser imaculada. Ele precisa ter bom testemunho dos de fora.[22] O pastor não pode deixar flancos abertos na sua vida. Ele não pode ter pendências financeiras na praça. Não pode ser desonesto em suas palavras nem descuidado em seus compromissos financeiros. O pastor não pode ser um homem envolvido com dívidas, enrolado financeiramente, irresponsável com seus compromissos financeiros. Ele não pode viver de aparências. Não pode querer ostentar um padrão de vida acima de suas condições financeiras.

Há muitos pastores que perderam a credibilidade no pastorado pela inabilidade de gerenciar suas finanças. Há pastores sem crédito na praça. Há pastores que pegam emprestado e não pagam. Há pastores que são infiéis na administração financeira, começando com a retenção do dízimo de Deus. Quando um pastor sonega o dízimo de Deus, perde a autoridade para ensinar o povo sobre fidelidade. Há pastores que gastam mais do que ganham. Atolam-se em dívidas e não conseguem saldar seus compromissos financeiros a tempo e a hora. Há pastores que não sabem lidar com cheque especial e cartão de crédito. Compram o que não precisam, com o dinheiro que não têm, para impressionar as pessoas que não conhecem.

Vivemos em uma sociedade consumista. Somos levados a acreditar que o *ter* é mais importante do que o *ser*. As propagandas sedutoras apelam constantemente aos nossos sentidos. Elas criam dentro de nós uma profunda insatisfação e uma verdadeira compulsão para adquirirmos esses bens de consumo. Na década de 1950, consumíamos cinco vezes menos do que consumimos hoje. Não éramos menos felizes por isso. Na década de 1970, mais de 70% das famílias dependiam apenas de uma renda para manter toda a casa. Hoje, mais de 70% das famílias dependem de duas rendas para manter o mesmo padrão. Ou seja, o luxo do ontem se tornou necessidade imperativa do hoje. Temos mais coisas do que precisamos. Gastamos mais com coisas supérfluas do que com o Reino de Deus. Poderíamos viver felizes com muito menos, pois o que nos satisfaz não são as coisas. Nossa alegria não está fora de nós, mas dentro. A Bíblia diz que o contentamento com a piedade é grande fonte de lucro.[23]

HÁ PASTORES EM PECADO NO MINISTÉRIO

Não existe nada mais perigoso para a vida espiritual de um homem do que acostumar-se com o sagrado. Os filhos de Eli, Hofni e Fineas, eram sacerdotes do Senhor, mas também eram impuros, irreverentes e abomináveis. Eles faziam a obra de Deus, mas não viviam para Deus. Tinham ministério, mas não vida; desempenho, mas não piedade.[24] Um dia os israelitas entraram em batalha contra os filisteus. Diante de uma derrota amarga, na qual 3.000 israelitas foram mortos, esses sacerdotes devassos trouxeram a arca da aliança ao acampamento. Mas a derrota foi ainda mais fragorosa. Morreram 30.000 homens, e esses dois religiosos foram mortos, a arca foi roubada, e a glória de Deus apartou-se deles.[25] Um ministro infiel é pior do que um incrédulo. Charles Spurgeon dizia que um ministro sem piedade é o maior agente do diabo em uma igreja.

Se a vida do pastor é a vida do seu ministério, os pecados do pastor são os mestres do pecado. Os pecados do pastor são mais graves, mais hipócritas e mais devastadores do que o pecado das demais pessoas. Mais graves, porque o pastor peca com maior conhecimento; mais hipócritas, porque o pastor denuncia o pecado em público e o pratica em secreto; e mais devastadores, porque, quando o pastor peca, mais pessoas ficam escandalizadas.

Não são poucos aqueles obreiros que caem no laço da impureza e da infidelidade conjugal. Cresce, de forma espantosa, o número de pastores com envolvimentos sexuais ilícitos nas igrejas. Cresce vertiginosamente o número de divórcios na classe pastoral. Um exército de pastores é despojado do ministério a cada ano por questões morais. Jopencil Silva descreve os degraus da tentação até a queda. Ele diz que a tentação se transforma em queda quando o homem para onde não deveria ter parado; quando dá ouvidos a quem não deveria ter ouvido; quando olha para onde não deveria ter olhado; e quando experimenta o que não deveria ter experimentado.[26] Precisamos acautelar-nos, pois o pecado pode reter-nos por mais tempo do que gostaríamos de ficar; pode levar-nos mais longe do que gostaríamos de ir, e pode custar-nos mais caro do que gostaríamos de pagar.

Craig Groeschel, em seu livro *Confissões de um pastor*, alerta para o perigo da tentação sexual. O que começa como simples pensamento pode transformar-se em um olhar, logo depois em pensamentos mais prolongados até degenerar rapidamente em um ato. As estatísticas são inacreditáveis: pesquisas conservadoras demonstram que mais de 60% dos homens e 40% das mulheres cometeram adultério.[27] Os cristãos e, sobretudo, os pastores não estão livres desse risco. Craig Groeschel conta a história dos esquimós e de como eles lidam com os lobos ferozes. Essa história ilustra esse perigo:

> Para proteger as famílias de uma aldeia, alguém caça um coelho ou um esquilo. Em seguida, os aldeões mergulham um

punhal de dois gumes bem afiado no sangue do animal e deixam congelar na lâmina. Aí fincam o cabo bem firme no chão, mantendo exposta a lâmina coberta de sangue congelado.

Durante a noite, algum lobo inevitavelmente sente o cheiro do sangue e se aproxima para ver do que se trata. Ele começa a lamber a lâmina. O sangue congelado e o metal frio entorpecem a língua do lobo. Aos poucos, o animal corta a língua e passa a sentir o gosto do próprio sangue quente.

Como não sente dor, ele lambe cada vez mais rápido e com maior voracidade. Sem perceber, ele retalha a língua. Quando o lobo se dá conta do que está acontecendo, o estrago já é grande demais. O animal sangra aos poucos até morrer.[28]

Essa história trágica tem muito que ver com a tentação sexual. Há muitos pastores que já estão sangrando, com a vida arrebentada. Há muitos obreiros que já perderam a sensibilidade espiritual e o temor a Deus. Estão vivendo na prática de pecado e, ao mesmo tempo, pregando, ministrando a ceia e aconselhando os aflitos. São hipócritas que tentam curar outros enquanto deviam estar buscando cura para si mesmos.

Há pastores que continuarão vivendo em pecado sem se arrepender ou sem abandonar o ministério. Há aqueles que só interromperão suas práticas abomináveis depois que forem flagrados ou caírem no opróbrio público.

É tempo de a igreja orar pelos pastores! É tempo de os pastores botarem a boca no pó e clamarem a Deus por uma visitação do céu e um tempo de restauração![29]

Capítulo 2

A vocação do pastor

A vocação para o pastorado é a mais sublime das todas as vocações. Como já abordamos no capítulo anterior, John Jowett, no seu livro *O pregador, sua vida e sua obra,* diz que a vocação pastoral não acontece quando você busca fazer medicina, e não consegue passar no vestibular; corre para a engenharia, e não logra êxito; bate à porta de outro curso universitário, e também fracassa; então, conclui que Deus está abrindo a porta do ministério. Ao contrário, vocação pastoral é quando todas as outras portas estão abertas, mas você só anseia entrar pela porta do ministério. Vocação é como algemas invisíveis. O chamado de Deus é irrevogável e intransferível. Quando ele chama, chama eficazmente!

Deus chama pessoas diferentes, em circunstâncias diferentes, em idades diferentes, para ministérios diferentes. Chamou Jeremias no ventre da sua mãe. Chamou Isaías em um momento de crise nacional. Chamou Pedro depois de casado. Chamou Paulo quando este perseguia a igreja.

O profeta Jeremias diz que Deus é quem dá pastores à igreja (Jeremias 3:15). O pastor não é um voluntário, mas uma pessoa chamada por Deus. Seu ministério não é procurado, é recebido.[30] Sua vocação não é terrena, mas celestial.[31] Sua motivação não está em vantagens humanas, mas em cumprir o propósito divino. Entrar no ministério com outros propósitos ou motivações é um grande perigo. O ministério não é um palco de sucesso, mas uma arena de morte.[32] O ministério não é um camarim onde colocamos máscaras e assumimos um papel diferente daquele que, na realidade, somos, mas é um campo de trabalho cuja essência é a integridade. A vida do ministro é a vida do seu ministério. O pastorado não é uma plataforma de privilégios, mas um campo de serviço; não é uma feira de vaidades, mas lugar de trabalho humilde e abnegado.

Abraçar o ideal do ministério é abrir mão de outros ideais. Fui consagrado a Deus desde o ventre. Minha mãe foi colocada diante de um terrível dilema. Deveria escolher entre sua vida e a minha. Sua gravidez de risco não lhe deixava uma segunda opção. Desafiando o prognóstico da medicina, ela fez um voto a Deus, dizendo que, se o Senhor poupasse sua vida e a minha, ela me consagraria para o ministério. Deus ouviu sua oração, e eu nasci. Minha mãe guardou esse compromisso no coração e, continuamente, orou ao Senhor para que Deus me chamasse para o ministério. Ela não compartilhou seu voto comigo para não me sugestionar. Meu sonho desde criança era ser advogado e político. Desde criança eu não perdia um comício sequer. Ouvia atentamente os oradores e me entusiasmava cada vez mais com a carreira política. No dia em que fiz 18 anos, tirei meu título eleitoral e me filiei a um partido. Minha mente estava agitada, e meu coração irrequieto ansiava ardentemente ingressar nessa empreitada. Mas aprouve a Deus tocar em minha vida e chamar--me para o ministério antes de eu completar 19 anos. Abri mão imediatamente dos meus sonhos e abracei o propósito de Deus. Hoje, eu não trocaria o ministério por nenhum outro privilégio. Entendendo que não há carreira mais sublime do que ser embaixador de Deus, ministro da reconciliação, pastor de almas, pregador do santo evangelho de Cristo. Tenho percorrido todo o Brasil, tenho pregado em outras nações. Tenho levado a boa nova do evangelho aos rincões mais distantes da nossa pátria e do mundo. Nenhuma alegria terrena transcende essa de ser um pregador do evangelho de Cristo Jesus.

Alguém já disse que, se o ideal é maior do que a vida, vale a pena dar a vida pelo ideal. Carlos Studd, atleta de escol na Inglaterra convertido a Cristo no século 19, deixou as glórias do mundo esportivo para dedicar sua vida à obra missionária na Índia e África. Quando alguém lhe perguntou se não era sacrifício demais o que ele estava fazendo, ele respondeu: "Se Jesus Cristo é Deus e ele deu a sua vida por mim, não há sacrifício tão grande que eu possa fazer por ele". Concordo com o mártir do cristianismo na América do Sul, o missionário Jim Elliot, quando disse: "Não é tolo aquele que dá o que não pode reter, para ganhar o que não pode perder".

Vejamos algumas lições importantes acerca do texto de Jeremias 3:15.

É Deus quem dá pastores à sua igreja (Jeremias 3:15)

Há duas verdades que podem ser aqui destacadas:

Em primeiro lugar, *a escolha divina não é fundamentada no mérito, mas na graça*. Jeremias era uma criança quando foi chamado.[33] Ele não sabia falar. Foi Deus quem colocou a palavra em sua boca. Jonas era um homem que tinha dificuldade em perdoar os inimigos, e Deus o chamou e o enviou a fazer a sua obra, mesmo contra sua vontade.[34] Paulo se considerava o menor dos apóstolos, o menor dos santos e o maior dos pecadores, mas Deus o colocou no lugar de maior honra na história da igreja. Nossa escolha para o serviço e para a salvação não é fundamentada em méritos, mas na graça. O portal de entrada no ministério é a humildade. Nenhum pastor pode fazer a obra de Deus de forma eficaz com altivez e orgulho. A soberba precede a ruína. A vaidade é a ante-sala do fracasso. Toda a glória que não é dada a Deus é glória vazia. Não estamos no ministério porque somos alguém, estamos para anunciar o único que é digno de receber toda honra, glória e louvor.

Em segundo lugar, *é Deus quem coloca os membros no corpo como lhe apraz*. Todos os salvos têm dons e ministérios no corpo, mas nem todos são chamados para ser pastores.[35] Não somos nós quem decidimos, mas Deus. Quem é chamado para esse sublime mister não poder orgulhar-se, porque nada tem que não tenha recebido. Um indivíduo crente não deveria entrar no

A vocação do pastor

ministério sem ser chamado especificamente para esse mister, nem uma pessoa vocacionada deveria retardar esse chamado.

Muitos pensam, equivocadamente, que o pastor ocupa um lugar de destaque na hierarquia da igreja. Mas não existe hierarquia na igreja de Deus. O pastor não é maior do que o menor membro. Ele é servo de Cristo e servo da igreja. Aqueles que entram no ministério e tratam o rebanho de Deus com rigor desmesurado, pensando que têm domínio sobre as ovelhas de Deus, estão incorrendo em um perigoso engano.[36]

Temos visto hoje, com grande tristeza, como alguns pastores tentam blindar sua própria pessoa, vivendo em uma torre de marfim, acima do bem e do mal, não aceitando nenhuma sorte de exortação ou correção por parte dos membros da igreja ou mesmo de seus pares. Defendem-se ardorosamente, dizendo que ninguém pode tocar no "ungido do Senhor". Tiram, assim, o texto do seu contexto e usam a palavra de Deus apenas para se protegerem ou para esconderem seus pecados. A liderança do pastor é apenas posicional. O pastor não é maior nem mais importante do que nenhuma outra pessoa no rebanho. Assim como o marido é o cabeça da mulher, mas não é mais importante do que a mulher. Assim como Deus é o cabeça de Cristo, mas não é maior do que Cristo, assim também, a liderança do pastor é uma liderança funcional. O pastor e os membros da igreja estão todos nivelados em um mesmo patamar; todos são servos de Cristo e, como tais, devem exortar uns aos outros.

O apóstolo Paulo, conversando com os presbíteros de Éfeso, disse-lhes: "Porém em nada considero a vida preciosa para mim mesmo, contanto que complete a minha carreira e o ministério que recebi do Senhor Jesus para testemunhar o evangelho da graça de Deus".[37] O ministério não é uma obra à qual nos lançamos de moto próprio, mas uma comissão que recebemos de Jesus. Não é um chamado para amenidades, mas uma convocação para a abnegação. Não é uma aspiração por *status* e poder, mas um desejo por uma obra extenuante, porém excelente.[38]

Ashbell Green Simonton era o nono filho de uma família piedosa. Seu pai foi médico, presbítero e deputado federal por duas legislaturas. Simonton era o caçula entre seus irmãos. Na infância, seus pais o consagraram ao Senhor e, no tempo oportuno, Deus o chamou para o ministério. Ele ingressou no Seminário de Princeton, em Nova Jersey, Estados Unidos. Foi um aluno brilhante. Terminado o seu curso, enquanto ouvia um sermão de Charles Hodge, foi desafiado por Deus a abraçar a obra missionária. Deus inclinou seu coração para o Brasil. Algumas pessoas tentaram demovê-lo de seu projeto, dizendo-lhe que era loucura deixar sua família, sua pátria e propostas tão promissoras da igreja em sua nação para ir para uma nação tão pobre e com tantas doenças endêmicas. Seus amigos disseram-lhe que isso não era seguro para ele. Simonton, então respondeu: "O lugar mais seguro para um homem estar, mesmo que cercado de ameaças e perigos, é no centro da vontade de Deus". Esse jovem, aos 26 anos, deixou sua terra e chegou ao Brasil. Com galhardia trabalhou em solo pátrio, e em um meteórico ministério de apenas oito anos, deixou aqui organizada a Igreja Presbiteriana do Brasil, denominação até hoje comprometida com a pregação fiel das Sagradas Escrituras.

Deus dá *pastores* à sua igreja (Jeremias 3:15)

Deus não apenas chama, mas especifica a missão. O que é um pastor? O que significa pastorear?

Em primeiro lugar, *pastorear é alimentar o rebanho de Deus com a palavra de Deus*. Não nos cabe prover o alimento, mas oferecer o alimento. O alimento é a palavra. Reter a palavra ao povo de Deus é um grave pecado. Hoje muitas igrejas estão doentes porque se alimentam de ervas venenosas.[39] Há morte na panela! Há muitas heresias circulando nos púlpitos evangélicos. Há muitas novidades estranhas à palavra de Deus que se infiltram na liturgia, na mensagem, na música, e acabam debilitando a vida espiritual da igreja. Há igrejas que passam fome, pois não recebem o alimento nutritivo da palavra. Seus pastores não se afadigam na palavra. Não estudam a palavra nem meditam sobre ela. Pregam do vazio de sua mente e do engano de seu coração. Há ainda igrejas que estão raquíticas e desnutridas porque recebem alimento insuficiente. O pastor precisa ser um incansável estudioso da palavra. Ele precisa trazer alimento farto todos os dias para o seu rebanho. Uma ovelha faminta fica inquieta e está sujeita a desviar-se para lugares perigosos. Há igrejas também que estão se empanturrando da palha da tradição humana, em vez de receber a rica provisão divina. Precisamos urgentemente de um reavivamento nos púlpitos.

Em segundo lugar, *pastorear é proteger o rebanho de Deus dos lobos vorazes*. Jesus alertou para o fato de o inimigo introduzir os filhos do maligno no meio do seu povo, se a igreja estiver dormindo.[40] Paulo alertou para o fato de os pastores estarem vigilantes para que os lobos vorazes não penetrem no meio do rebanho.[41] As heresias são os dentes do lobo. Quando a igreja deixa de zelar pela doutrina apostólica, as novidades do mercado da fé entram na igreja e, nesse pacote, muitas vezes, vêm práticas estranhas às Sagradas Escrituras. Os pastores precisam examinar a literatura que está entrando na igreja para verificar se ela está de acordo com a palavra. Os pastores precisam analisar as letras das músicas que são cantadas na igreja para não incorrerem em equívocos doutrinários. Os pastores não devem dar o púlpito da igreja para indivíduos que, reconhecidamente, são descomprometidos com a fidelidade às Escrituras. Certa feita, em um domingo pela manhã, eu estava pregando na igreja que pastoreio há mais de vinte anos, a Primeira Igreja Presbiteriana de Vitória, quando uma mulher garbosamente vestida entrou e assentou-se bem na frente, no terceiro banco. Enquanto eu pregava, ela fez chegar até o púlpito um bilhete: "O Espírito Santo me mandou aqui hoje, porque tenho uma mensagem de Deus a entregar a esta igreja". Li o bilhete, coloquei-o no bolso e terminei a minha mensagem, impetrei a bênção apostólica e me dirigi à porta para cumprimentar os crentes. Aquela mulher, agora irritada, afrontou-me na porta da igreja, dizendo-me que eu tinha impedido que o Espírito Santo falasse à igreja naquela manhã. Então, eu lhe disse: "O Espírito Santo falou à igreja, a senhora é que não ouviu. Eu preguei a palavra de Deus com fidelidade nesta manhã". E disse mais a ela: "Eu não conheço a senhora, não sei de onde vem nem para onde vai. Não sei no que a senhora crê, e

A vocação do pastor

tenho responsabilidade por esse rebanho; portanto, não posso entregar o púlpito a quem eu não conheço". A mulher saiu furiosa e soube que, naquela semana, ela provocou grandes tensões em algumas igrejas, subindo a vários púlpitos, destilando o veneno de perigosas heresias.

Em terceiro lugar, *pastorear é gostar do cheiro de ovelha.* A missão do pastor é apascentar. O pastor é alguém que convive com ovelha. A ovelha é um animal que não pode cuidar de si mesmo. Se ela se desgarra do rebanho, torna-se presa fácil dos predadores. A ovelha é míope e não consegue enxergar com clareza os lugares escorregadios e perigosos. A ovelha precisa de pastor, e o pastor precisa estar perto da ovelha para socorrê-la em suas necessidades. É o pastor que leva, para os pastos verdes, as ovelhas famintas e, às águas tranquilas, as sedentas. É o pastor que atravessa os vales escuros com as ovelhas, dando-lhes segurança. É o pastor que carrega no colo a ovelha fraca e resgata a que caiu no abismo. É o pastor que disciplina aquela que põe em risco a vida do rebanho.

Em quarto lugar, *pastorear é encorajar as ovelhas.* O ministério pastoral é amplo. O pastor é aquele que ensina, alimenta, orienta, protege, disciplina, fortalece, anima e consola as ovelhas. Seu papel não é esmagar a cana quebrada nem apagar a torcida que fumega.[42] O papel do pastor não é intimidar as ovelhas nem espancá-las por causa de suas falhas. O pastor age com a firmeza de um pai[43] e com a doçura de uma mãe.[44] O pastor usa a vara da disciplina, mas também o cajado do resgate. O pastor é alguém que está disposto a carregar a ovelha nos braços e dar sua vida por ela. O pastor precisa não apenas de gostar de pregar para o seu rebanho, mas gostar do rebanho para quem prega. Sua função é ser um encorajador daqueles que estão a caminho da Canaã Celestial!

DEUS DÁ PASTORES *SEGUNDO O SEU CORAÇÃO* (JEREMIAS 3:15)

O pastor segundo o coração de Deus tem consciência de que Deus o chamou para amar a Cristo e apascentar as ovelhas com humildade. O pastor não é o dono do rebanho. Deus nunca nos passou uma procuração transferindo o direito de posse da igreja. A igreja não é nossa, mas de Deus. As ovelhas não são nossas, mas de Deus.

O pastorado não é um posto de privilégios, mas uma plataforma de serviço. Há muitos pastores que parecem mais fazendeiros. Eles são os donos das ovelhas, e não pastores das ovelhas. Esses pastores olham para as ovelhas em termo daquilo que elas podem lhe render, e não de como ele pode servi-las. Esses pastores visam o lucro, e não o bem das ovelhas. Eles querem tosar as ovelhas, e não cuidar das ovelhas. Eles querem que as ovelhas deem a vida por ele, em vez de ele dar sua vida pelas ovelhas. Há outros pastores que parecem mercenários. Esses são obreiros fraudulentos que exploram as ovelhas e tentam tirar alguma vantagem delas. Em vez de investir o tempo, o coração e a vida na vida das ovelhas, tentam extrair das ovelhas tudo o que podem. São pastores de si mesmos, e não pastores do rebanho de Deus.

A vocação do pastor

O pastor segundo o coração de Deus apascenta o rebanho debaixo do cajado do Supremo Pastor. Nenhum pastor apascenta o rebanho de Deus com fidelidade se não exerce seu pastorado debaixo do cajado de Cristo, dando ao povo a sã doutrina. A instrução da verdade precisa estar na sua boca. O ensino fiel das Escrituras precisa ser o vetor do seu ministério. O pastor não é chamado para pregar sua visão, mas para pregar a palavra de Deus!

A EXCELÊNCIA COM QUE O PASTOR DEVE EXERCER O SEU PASTORADO (JEREMIAS 3:15)

Destacamos duas verdades importantes:

Em primeiro lugar, *o pastor deve apascentar o rebanho de Deus com conhecimento*. O pastor é um estudioso. Deve ser um erudito. Precisa conhecer a palavra, alimentar-se da palavra e pregar a palavra. Paulo diz que devem ser considerados dignos de redobrados honorários aqueles que se afadigam na palavra.[45] Precisamos estudar até a exaustão. Precisamos cavar as minas da verdade e oferecer ao povo de Deus as insondáveis riquezas do evangelho de Cristo. Somos mordomos: precisamos oferecer um cardápio apetitoso e balanceado para o povo de Deus.[46]

As cátedras seculares envergonham os púlpitos, pois, mesmo pregando uma mensagem humana, terrena e temporal preparam-se com mais dedicação do que os púlpitos, e estes pregam uma mensagem divina, celestial e eterna. Precisamos apresentar-nos como obreiros aprovados. Precisamos realizar o ministério com um padrão de excelência. Pastor também precisa ter um vasto conhecimento geral. Precisa ser um homem atualizado. Precisa ler o texto e o contexto. Ler a Bíblia e ler o povo. Tem de ter a Bíblia em uma mão, e o jornal na outra. O pastor não pode ser um homem alienado. Precisa ser um profundo conhecedor da sua época.[47] John Stott diz que o sermão que o pastor prega deve ser uma ponte entre dois mundos: o texto antigo e o ouvinte contemporâneo. O pastor precisa conhecer esses dois mundos: tanto o texto quanto seus ouvintes.

Em segundo lugar, *o pastor deve apascentar o rebanho de Deus com inteligência.* Isso significa apascentar o rebanho de Deus com sabedoria e sensibilidade. Sabedoria é usar o conhecimento para os melhores fins. Precisamos tratar as ovelhas de Deus com ternura. Paulo diz que o pastor é como um pai e também como uma mãe.[48] O pastor chora com os que choram e festeja com os que estão alegres. O pastor trata cada ovelha de acordo com sua necessidade, com seu temperamento, com seu jeito peculiar de ser. Ele é dócil com as crianças como foi Jesus, que as pegou no colo. Ele trata os da sua idade como a irmãos e os mais velhos como a pais. Uma coisa é amar a pregação, outra coisa é amar as pessoas para quem pregamos. Devemos amar a pregação e também as pessoas para as quais pregamos.

Capítulo 3

O preparo do pastor

Afirmar que estamos vivendo uma crise aguda, agônica, endê-
mica e sistêmica já não produz impacto em mais ninguém.
Afirmar, porém, que Elias vivia uma crise maior do que a nossa
nos faz refletir. O preparo de Elias para o ministério profético
lança luz sobre este magno assunto do preparo do pastor.

Nossa nação está vivendo uma profunda crise institucional.
As Comissões Parlamentares de Inquérito estão abrindo as
entranhas infectas das instituições políticas e revelando doenças
graves. A maior crise que a nação atravessa não é econômica nem
social, mas moral. Estamos vivendo uma crise de integridade. O
parlamento está nu. O governo, cabisbaixo. A nação está coberta
de vexame e opróbrio. Nunca a credibilidade política desceu
a níveis tão baixos. Embora haja ainda alguns ícones que se
sustentam de pé, o descrédito com a classe política é avassalador.

Se a crise política e a crise moral chegaram a níveis insuportáveis, a crise espiritual não é menor. O enriquecimento ilícito em nome da fé tornou-se notícia quente da imprensa brasileira. Homens sem escrúpulo escondem-se atrás dos púlpitos e fazem da igreja uma empresa lucrativa. Já se cunhou a expressão: "Pequenas igrejas, grandes negócios; grandes igrejas, lucros estrondosos".

A nação de Israel estava em crise semelhante nos dias do profeta Elias. Dos seis reis que haviam precedido a Acabe, dois foram assassinados, e outro se suicidara. Em um período de duzentos e nove anos, Israel teve dezenove reis em oito dinastias. Nenhum deles andou com Deus. Acabe, porém, foi o pior de todos eles. Se isso não bastasse, ele se casou com a pior mulher do mundo, Jezabel. Ela era assassina, feiticeira e mandona. Jezabel foi a mulher que disseminou em Israel o culto a Baal e matou os profetas de Deus.

É nesse contexto de perseguição religiosa, crise financeira e apostasia espiritual que Deus levantou um homem. Em tempo de crise, Deus não levantou uma denominação nem um partido, mas um homem. Acompanhemos a vida desse profeta de Deus em algumas telas e vejamos seu retrato.

O PASTOR DEBAIXO DOS HOLOFOTES (1Reis 17:1)

Deus levantou Elias, um homem desconhecido, de um lugar desconhecido, para levar uma mensagem ao rei. A mensagem de Elias é urgente, contundente e poderosa. Sua palavra era de juízo divino sobre a nação apóstata. O povo de Israel estava com o coração dividido, servindo a uma divindade pagã e creditando as bênçãos divinas a esse ídolo abominável. Baal era o deus da fertilidade. Se a chuva fosse retida, a credibilidade dessa divindade pagã cairia por terra. Isso seria quebrar a espinha dorsal de Baal. Foi o que Elias fez. Ele orou para Deus fechar as comportas do céu e reter as chuvas, e isso foi exatamente o que Deus providenciou![49]

Elias não procede da classe sacerdotal nem vem da escola de profetas. Elias não é um homem rico nem carrega medalhas de honra ao mérito. Sua família é humilde, e sua aparição, despretensiosa. Isso nos ensina que Deus não precisa de estrelas para fazer sua obra; ele precisa de homens disponíveis e obedientes. A origem de Elias é um golpe no orgulho dos poderosos. Ele vem de Tisbé, um lugar obscuro e desconhecido. Ele vem de lugar nenhum. É um ilustre desconhecido, sem títulos, sem diplomas na parede. Não é um figurão. Um dos graves problemas enfrentados pela igreja evangélica brasileira é o pecado da tietagem. Alguns pastores e cantores são tratados como astros e atores. São pessoas altivas que gostam do sucesso e estão embriagadas pela fama. São pessoas que se sentem importantes demais e acabam colocando o seu ninho entre as estrelas.[50] Há pastores que gostam desse *glamour* do sucesso e se perdem nessa tolice ensandecida.

Elias se apresenta a Acabe com uma mensagem solene e urgente. Ele diz que não choverá em Israel durante três anos e meio, segundo a sua palavra.[51] Por que tamanha convicção? O texto não responde. Mas, quando lemos Tiago 5:17, encontramos que Elias orou com instância para não chover, e não choveu. Com isso, aprendemos que Elias associou o ministério da pregação com o ministério da oração. Ele orou com instância para não chover e entregou a mensagem a Acabe. Quem ora prega com poder. Quem ora prega com eficácia. Só podemos ter êxito em público se tivermos intimidade com Deus em secreto. Só podemos prevalecer diante dos homens se primeiro prevalecermos em secreto diante de Deus. Elias se levantou diante do rei porque primeiro se prostrou diante do Rei dos reis. Sem oração teremos apenas luz na mente, mas não fogo no coração. Pregação é lógica em fogo e precisa vir de um homem que está em fogo, dizia Martyn Lloyd-Jones. Wesley dizia: "Ponha fogo no seu sermão, ou ponha o seu sermão no fogo". Uma das grandes tragédias da igreja evangélica hoje é que nós separamos pregação de oração. Temos gigantes do saber no púlpito, mas pigmeus na vida de oração. Temos pastores com fome de livro, mas sem fome de Deus. Pastores que conhecem muito a respeito de Deus, mas não conhecem a intimidade com Deus. Os apóstolos entenderam que a oração e o ministério da palavra precisam andar juntos (Atos 6:4). É lamentável que a média de vida devocional dos pastores brasileiros não passe de quinze minutos por dia. Isso, na verdade, é uma calamidade!

Elias teve autoridade de aparecer na presença dos homens porque andava na presença de Deus. Elias era um homem semelhante a nós: teve medo, sentiu solidão, fugiu, pediu para morrer, ficou deprimido.[52] Mas Elias também aprendeu a viver na presença de Deus. A maior necessidade da igreja hoje é de pastores que vivam na presença de Deus. A maior necessidade hoje é de pastores que conheçam a intimidade de Deus.

Muitos falam sobre Deus, mas não o conhecem. Precisamos desesperadamente de um avivamento na vida dos pastores. Precisamos de um avivamento nos púlpitos. Precisamos aprender com Robert Mackeyne, o pastor presbiteriano da Escócia que viveu no século 19 e morreu aos 29 anos. Quando esse jovem pastor se levantava no púlpito, as pessoas já começavam a chorar, tamanha a intimidade que ele tinha com Deus. Hoje muitos pastores buscam os holofotes, gostam das luzes da ribalta, querem galgar os degraus mais elevados do sucesso, mas nunca se humilharam sob a poderosa mão de Deus, nunca conheceram as delícias da intimidade com Deus. Quando perguntaram a Dwingh Limann Moody acerca do maior problema da obra, ele respondeu: "O maior problema da obra são os obreiros". Quando lhe perguntaram como começar um avivamento na igreja, ele respondeu: "Acenda uma fogueira no púlpito".

DEUS TRABALHA NA VIDA DO PASTOR ANTES DE TRABALHAR ATRAVÉS DO PASTOR (1REIS 17:2-5)

Deus trabalha em nós, antes de trabalhar através de nós. Deus tira o profeta do palco, debaixo dos holofotes, debaixo das luzes da ribalta, e o envia para o deserto, para a solidão. No deserto Deus nos prova. Ele nos manda para a solidão do deserto a fim de nos desmamar do mundo. O deserto não é um acidente, mas uma agenda de Deus. É Deus quem nos manda para o deserto. O deserto é a escola superior do Espírito Santo, onde Deus treina os seus líderes mais importantes. No deserto, Deus treina seus obreiros para sua obra. No deserto Deus trabalha em nós, antes de trabalhar através de nós. Na verdade, Deus está mais interessado em quem nós somos do que naquilo que nós fazemos. Vida com Deus precede trabalho para Deus. Deus fez isso com Paulo; tirou-o de Jerusalém e o enviou a Tarso, onde ele passou dez anos no anonimato. Nesse tempo, Deus estava trabalhando na vida de Paulo, antes de trabalhar através de Paulo. Deus não tem pressa quando se trata de treinar os seus obreiros. Ele preparou Moisés durante oitenta anos para usá-lo quarenta anos. Deus treinou Elias três anos e meio para usá-lo um único dia, no cume do monte Carmelo.

No deserto, precisamos depender mais do provedor do que da provisão. Além de viver na solidão do deserto, Elias deveria confiar totalmente em Deus para o seu sustento. No deserto, ou Deus nos sustenta, ou perecemos. É mais fácil confiar em Deus em tempo de fartura. É fácil confiar em Deus quando estamos no palco. Mas o que fazer quando você está no centro da vontade de Deus, fazendo o que Deus mandou você fazer, e, de repente, sua fonte seca? Diz 1Reis 17:7 que a fonte de Querite secou. Quando sua fonte seca, Deus sabe onde você está, para onde você deve ir e o que você deve fazer. Sua fonte pode estar seca, mas as fontes de Deus continuam jorrando. Sua provisão pode ter acabado, mas seu provedor continua sendo o seu sustentador.

Às vezes, a fonte seca na vida, no casamento, nas finanças, na saúde, nos relacionamentos. Mas, quando os recursos da terra acabam, os recursos de Deus continuam absolutamente disponíveis. Permita-me compartilhar com você uma experiência pessoal.

O preparo do pastor

Em 2000, fui com minha família para os Estados Unidos, a fim de fazer um curso de doutorado na área de pregação no Seminário Reformado de Jackson, no Estado de Mississippi. Naquela época, a igreja que pastoreio há mais de vinte anos votou uma verba para o meu sustento. Fui com a intenção de receber meia bolsa, o que não aconteceu. Tive de pagar escola para meus filhos, para minha esposa aprender o inglês, e ainda arcar com todas as despesas do seminário. Na verdade, eu tinha um déficit no orçamento de 1.500 dólares por mês. Com cinco meses, minha reserva pessoal acabou e fiquei muito aflito. Chamei minha esposa e revelei a ela toda situação. Meu carro estava quebrado em uma oficina, e o concerto ficava em 1:350 dólares. Havia contas para pagar na escola, no seminário, bem como contas de aluguel, água, luz e telefone. Eu e minha esposa nos colocamos diante de Deus em oração e pedimos ao Senhor uma saída. Não queríamos voltar para o Brasil, envergonhados e frustrados. Nesse mesmo dia, o telefone tocou e recebi um convite para pregar em um congresso no Estado de Pensilvânia. No último dia do congresso, o pastor que dirigia o programa informou ao povo que eu estava estudando na América e que, se alguém quisesse me ajudar, isso seria muito importante para mim. Eu saí daquele congresso com 5.500 dólares de oferta. Um pastor amigo me disse: "Eu lhe enviarei 300 dólares por mês até você terminar o seu curso".

Voltei para casa chorando e saldei todos os meus compromissos. Na semana seguinte, recebi um novo convite para pregar em New Hampshire. Ao término de uma palestra, um presbítero colocou um bilhete dentro de minha bíblia, dizendo: "Eu não sei o que está acontecendo com você, mas Deus tocou o meu coração, e estou me comprometendo a mandar-lhe 600 dólares por mês até você retornar ao Brasil". No final do congresso me deram uma oferta de 2.500 dólares. Para encurtar a conversa, Deus me deu a oportunidade de fazer 21 viagens em 10 Estados diferentes pregando a palavra e, em cada viagem, o Senhor fazia um milagre diferente em minha vida. Certa feita, uma mulher fez uma viagem de 60 milhas, de noite, debaixo de neve, para ir aonde eu estava apenas para me entregar uma oferta. No dia que eu estava voltando ao Brasil, fui ao banco para fechar minha conta e, para minha surpresa, o exato valor de minhas reservas pessoais que trouxera para a América estava lá depositado. Com isso aprendi que, quando nossos recursos acabam, os recursos de Deus continuam disponíveis. Quando Deus nos manda para o deserto, precisamos aprender a depender mais do provedor do que da provisão.

O PASTOR NA FORNALHA DA PROVA (1Reis 17:8-10)

Quando as coisas parecem difíceis, elas tendem a piorar. Deus disse a Elias: "Acabou o estágio no deserto. Aguente firme, porque vou matricular você em um estágio mais avançado. Vou jogar você na fornalha". Deus tirou Elias do deserto e o jogou na fornalha. Sarepta significa fornalha, cadinho. Antes de Deus usar você, Deus o depurará. O fogo só queimará a escória. A fornalha faz parte da agenda de Deus na sua vida. Ele mesmo o matriculará na escola do quebrantamento.

O preparo do pastor

A viagem a Sarepta seria extremamente perigosa, pois, naquele tempo, Acabe estava procurando Elias vivo ou morto em Israel e nas nações vizinhas.[53] Sarepta ficava distante de Querite cerca de 150 quilômetros, e Elias, a cada passada que dava, corria o risco de ser morto pela polícia de Acabe.

Deus parece ter senso de humor. Ele manda Elias a Sarepta para ser sustentado por uma mulher viúva. Se Deus tivesse mandado Elias sustentar uma mulher viúva, faria mais sentido. Pelo menos ele poderia pensar que teria um ministério depois de sair do esconderijo. Elias sai de Querite para não morrer de sede, e quase morre de fome em Sarepta, pois a mulher que deveria sustentá-lo está quase morrendo de fome. Quando a provisão da terra acaba, a provisão do céu continua abundante. Os celeiros de Deus jamais ficam vazios. Aquela viúva experimenta um milagre na cozinha. Seu azeite jamais deixou de jorrar, e sua farinha nunca faltou na panela.[54]

Na mesma casa em que acontece um milagre também acontece uma tragédia. O filho único daquela viúva adoece e morre, e ela coloca a culpa em Elias. Não há nada que machuque mais um pastor ou líder do que ser acusado injustamente. A viúva tentou transferir a responsabilidade da sua dor para Elias. É comum as pessoas transferirem para alguém a responsabilidade da sua dor. O espantoso é que Elias não se defende. Ele respeitou a dor daquela mulher mesmo sabendo que ela estava errada. É fácil tripudiar sobre as pessoas quando elas estão caídas. É fácil esmagar as pessoas quando estamos com a razão. Jesus, porém, nos ensinou a não esmagar a cana quebrada nem apagar a torcida que fumega.[55]

De pastor a pastor

O pastor precisa ser um homem sensível. Há muitos pastores que estufam o peito, impostam a voz e dizem: "É melhor passar por cima do meu cadáver do que passar por cima dos meus direitos". A única palavra que Elias disse à viúva foi: "Transfira para os meus braços a sua dor. Ponha em meus braços o seu filho morto".[56]

Elias pegou o menino morto, levou-o para o seu quarto e trancou a porta. Lá abriu as comportas da sua alma. Lá ele falou, e falou muito. Lá ele falou com Deus. Elias nos ensina com isso que, se falássemos mais com Deus, nós nos defenderíamos menos. Se falássemos mais com Deus, brigaríamos menos. Se falássemos mais com Deus, veríamos mais os milagres de Deus no nosso ministério. Se quisermos ver os meninos mortos ressuscitando, precisamos falar com Deus mais do que nos defender das acusações. Elias faz um pedido inédito para Deus. Ele pede a ressurreição do menino, e Deus o atende. Deus pode fazer o impossível aos homens. Charles Spurgeon diz que nós lidamos também com meninos mortos. A morte espiritual não é menos real ou menos trágica do que a morte física. Não podemos ressuscitar os meninos espiritualmente. Somente o Espírito de Deus pode dar vida àqueles que estão mortos em seus delitos e pecados. Os mortos espirituais precisam ser ressuscitados: precisamos orar e agir na certeza de que só Deus pode trazê-los à vida.

Elias nos ensina outra lição. Ele não capitaliza com esse esplêndido milagre. Não chama a atenção para si mesmo. Não convoca a imprensa para anunciar o ineditismo desse fato estupendo. Não coloca um *outdoor* em Israel anunciando quão poderoso ele era. Não toca trombeta sobre seu próprio poder. Não acende as luzes da ribalta sobre si mesmo. Não bate palmas para si mesmo nem faz um solo do hino *Quão grande és tu* diante do espelho. Elias compreende que somente a Deus pertence a glória!

Quando você honra a Deus, Deus honra você. Depois da fornalha vem o reconhecimento. Logo que a viúva recebeu o seu filho vivo, ela disse: "Agora sei que tu és um homem de Deus e que a palavra do SENHOR vinda da na sua boca, é a verdade".[57] A maior necessidade que temos como pastores é sermos homens de Deus. Outro ponto de vital importância é sermos boca de Deus. Nem todos os pastores que pregam a palavra de Deus são boca de Deus. Muitos pastores pregam a verdade, mas esta não produz impacto nos corações. O profeta Jeremias diz que o homem que é a boca de Deus aparta o precioso do vil.[58] Geazi tomou o bordão profético e o colocou no rosto do menino morto, e este não levantou.[59] O problema não era o bordão, mas quem carregava o bordão. O bordão profético na mão de Geazi não funciona. Isso porque uma coisa é proferir a palavra de Deus, outra coisa é ser a boca de Deus. A vida do pregador fala mais alto do que seus sermões. A vida do ministro é a vida do seu ministério. O pastor é um homem em fogo. Pregação é lógica em fogo. A parte mais importante do sermão é o homem que está atrás do púlpito.

O PASTOR COMO GUERREIRO ESPIRITUAL (1 REIS 18:1-19)

Elias associa a soberania de Deus com a responsabilidade humana. Deus fala que vai chover,[60] mas Elias ora humilde, perseverante e triunfantemente para chover.[61] O mesmo fez Daniel no cativeiro babilônico. A soberania de Deus não anula a responsabilidade humana. Quem dá chuva é Deus, mas quem ora para chover somos nós. Quem elege para a salvação é Deus, mas quem evangeliza somos nós. Somos cooperadores de Deus nessa bendita empreitada.

Elias anda segundo a agenda de Deus. Deus manda Elias aparecer, e ele aparece. Deus manda Elias se esconder, e ele se esconde. Deus manda Elias ir para a fornalha, e ele vai. Deus manda Elias se apresentar a Acabe, e ele se apresenta. Elias está pronto, batendo continência para as ordens de Deus. Precisamos de gente que simplesmente obedeça: Deus manda, e o universo inteiro obedece: o sol, o vento, o mar, a mula, o verme, os demônios, os anjos. Deus manda você fazer a sua obra, e você é a única pessoa que, de forma petulante, tenta resistir à ordem divina?

Elias confronta o rei,[62] o povo[63] e os profetas de Baal.[64] Ele não se intimida nem negocia sua consciência. Não vende seu ministério. Não quer ser popular, mas fiel. Elias diz ao povo que a obediência dividida é tão errada quanto a idolatria declarada. Elias retirou o Baal do caminho de Israel. No caminho das torrentes de Deus havia um obstáculo. Esse monstruoso ídolo se colocara entre a terra e o céu, entre as chuvas e a terra seca, entre as bênçãos e o povo. Não adianta dar nome diferente a Baal, nem trocá-lo de lugar. Baal precisa ser removido. Precisamos tirar o entulho, antes que o fogo de Deus desça!

Elias, antes de pedir intervenção do céu, restaura o altar que estava em ruínas.[65] Hoje há muitos altares em ruína. Em primeiro lugar, o altar da adoração. Hoje, há muito ajuntamento, mas pouco quebrantamento;[66] muita música de celebração, mas pouca adoração genuína;[67] muito dinheiro na conta da igreja, mas pouca oferta que honre ao Senhor.[68] Em segundo lugar, o altar da comunhão. Elias ajuntou doze pedras, símbolo das doze tribos dispersas, desunidas. Há mágoas na igreja. Há partidos e grupos na liderança da igreja e em seus departamentos. Em terceiro lugar, o altar da família. Há lares quebrados, há pastores em crise no casamento. Há famílias pastorais arrebentadas emocionalmente.

Elias foi um homem que ousou crer na manifestação do poder de Deus. O ministério de Elias foi timbrado pela manifestação do poder de Deus. Ele não apenas falou do poder, mas também o experimentou. Ele viu os corvos voando a Querite para lhe levar alimento.[69] Viu a farinha da viúva se multiplicando.[70] Viu o menino morto ressuscitando.[71] Viu o fogo descendo[72] e a chuva caindo.[73] Ele pediu fogo e, quando o fogo caiu, o povo caiu de joelhos![74] Hoje perdemos a expectativa do sobrenatural. Nossa teologia é a teologia da Marta, do Deus que fez e do Deus do que fará, mas não do que ele está fazendo e é poderoso para fazer agora. A igreja hoje está acostumada a uma mensagem dirigida apenas aos ouvidos. Precisamos também de uma mensagem pregada aos olhos.

O PASTOR TAMBÉM TEM OS PÉS DE BARRO (1REIS 19:1-10)

Cuidado com a ressaca de uma grande vitória. Você nunca é tão vulnerável como depois de uma grande vitória. As vitórias de

De pastor a pastor

ontem não são garantias de sucesso hoje. Todo dia você precisa estar cheio do Espírito. O Elias guerreiro e gigante agora teme, foge e se deprime.[75]

Elias não era um supercrente nem um super-homem. Era um homem semelhante a nós, sujeito aos mesmos sentimentos e fraquezas.[76] Elias também tinha os pés de barro. Depois da estupenda vitória no cume do Carmelo, ele desceu ao vale profundo da depressão. Os pastores também podem ficar deprimidos. A depressão é um dos assuntos mais mal compreendidos na igreja evangélica da atualidade. Muitos pastores lidam com a depressão como se fosse ação demoníaca. Outros a veem apenas como pecado. Mas a depressão é uma doença. E precisa ser tratada como tal. A depressão é uma doença grave que pode levar uma pessoa até mesmo ao suicídio. John Piper, no seu livro *O sorriso escondido de Deus*, fala de David Brainerd, John Bunyan e William Cowper, homens de Deus que tiveram severas crises de depressão. Há muito preconceito hoje e bastante tabu sobre esse problema. E, com isso, as pessoas que enfrentam depressão são discriminadas e atacadas como se estivessem endemoninhadas ou vivendo na prática de algum pecado. É possível que uma pessoa esteja deprimida em virtude da ação dos demônios ou em consequência direta de algum pecado escondido. Mas nem todas as pessoas deprimidas são atadas por essas grossas correntes. Uma pessoa cheia do Espírito pode estar deprimida, assim como uma pessoa cheia do Espírito pode ter um problema cardíaco. Deus tratou da depressão de Elias e o curou da sua avassaladora angústia.

Quais foram as causas da depressão de Elias? Primeiro, ele olhou para as circunstâncias em vez de olhar para Deus.[77] A vida dele dependia de Deus, e não de Jezabel. Sua vida depende de Deus e não dos homens. Segundo, ele se afastou das pessoas mais próximas na hora em que mais precisava delas.[78] A solidão não é um bom remédio para quem está deprimido. As pessoas precisam de Deus, mas pessoas também precisam das outras pessoas. Terceiro, a autocomiseração mascarou a visão dele sobre a vida.[79] Elias pensou que estava sozinho. Quarto, o esgotamento físico-emocional.[80] Elias estava fisicamente cansado e emocionalmente exausto.

Como Deus curou a depressão de Elias? Deus usou quatro expedientes. Primeiro, sonoterapia.[81] Uma pessoa deprimida não consegue desligar sua mente. O corpo fica moído, mas a mente não desliga. Segundo, boa alimentação.[82] Deus preparou uma mesa para Elias no deserto. Terceiro, desabafo.[83] Deus mandou Elias sair da caverna, abrir as câmaras de horror do seu coração e espremer todo o pus da ferida. Quarto, Deus lhe mostrou uma nova perspectiva do futuro.[84] Elias estava olhando a vida pelo retrovisor. Ele olhava com saudosismo para o passado e com desânimo para o futuro. Ele queria morrer, pensando que o melhor da sua vida ficara no passado. Mas Deus mostrou que seu ministério ainda não tinha acabado. Ele ainda precisava ungir um rei na Síria, outro em Israel e um profeta em seu lugar. Elias queria morrer, mas o plano de Deus era levá-lo para o céu sem passar pela experiência da morte.

De pastor a pastor

QUANDO O PASTOR É CHAMADO PARA CASA (2REIS 2:6-12)

O melhor de Deus para a vida de Elias ainda estava por vir. Elias queria morrer, mas não sabia o que pedia. Quando estamos deprimidos, pensamos na morte de forma obsessiva. Não porque queremos morrer. Na verdade, queremos viver, mas, como não vemos saída senão na morte, então queremos morrer. Na verdade, sentimos uma dor tão profunda que a julgamos maior do que a própria morte. Por isso, as pessoas deprimidas flertam com a morte. Mas Deus na sua bondade nem sempre nos dá o que queremos, mas aquilo de que necessitamos. Deus não respondeu positivamente à oração de Elias. Ele queria ir para o céu mediante a morte, mas Deus o levou para o céu mediante o arrebatamento.

Elias cumpriu plenamente o seu ministério. Ele acabou a carreira e estava pronto para ir para a casa receber sua recompensa. Na corte de Acabe, foi mensageiro de Deus. Em Querite, foi quebrantado por Deus. Em Sarepta, foi lapidado por Deus. No Carmelo, foi usado por Deus. Na caverna, foi restaurado por Deus. Mas, no Jordão, foi arrebatado por Deus. Elias foi levado para o céu como um símbolo da igreja. No último dia, quando a trombeta de Deus soar, os mortos em Cristo ressuscitarão primeiro, depois nós, os vivos, os que ficarmos, seremos transformados e arrebatados para encontrar o Senhor nos ares e, assim, estaremos para sempre com o Senhor.[85]

Eliseu pediu porção dobrada do espírito de Elias.[86] Quando Elias foi arrebatado por um carro de fogo e subiu ao céu em um redemoinho, a capa de Elias ficou nas mãos de Eliseu. Este chegou às margens do rio Jordão que se abrira diante deles com uma grande pergunta pulsando em seu peito. Será que Deus abrirá o Jordão novamente? Será que Deus operará maravilhas através de minha vida também? A pergunta de Eliseu foi enfática: "Onde está o Senhor, o Deus de Elias?".[87] Será que ele é apenas o Deus que agiu ontem? Ele age ainda hoje? Ele opera maravilhas ainda hoje? Ele reaviva a sua igreja ainda hoje? Ele abre portas humanamente fechadas ainda hoje? Ele transforma vidas ainda hoje? Eliseu lançou a capa de Elias, e as águas do Jordão se abriram. O Deus de Elias é o Deus de Eliseu, é o seu Deus, o meu Deus. O Deus de Elias está aqui. Ele é o nosso Deus. Ele está no trono. Ele reina. Ele é o Deus da igreja, da sua família, da sua vida.

Muitas vezes a nossa teologia é a teologia da Marta. Jesus chegou à aldeia de Betânia depois que Lázaro já estava sepultado havia quatro dias. Marta foi logo despejando sua mágoa diante de Jesus: "Se tu estiveras aqui, meu irmão não teria morrido". Ela conjugou o verbo no passado. Jesus respondeu-lhe: "Teu irmão há de ressurgir". Ela respondeu: "Eu sei que ele há de ressurgir no último dia". Conjugou o verbo no futuro. Então Jesus lhe disse: "Marta, eu não fui nem serei, mas eu sou a ressurreição e a vida".

Quero encerrar este capítulo com uma pergunta contundente e perturbadora: "Onde estão os Elias de Deus?". Os Elias de Deus estão aqui? Eles estão em nosso meio? Você é um Elias de Deus? Está pronto a ser levantado por Deus, treinado por Deus, lapidado por Deus e usado por Deus? Está pronto a sair da caverna e ser poderosamente restaurado por Deus? Está pronto a cumprir cabalmente o seu ministério e, oportunamente, ser convocado para ir para casa?

Capítulo 4

A vida devocional do pastor

A classe pastoral está em crise. Crise vocacional, crise familiar, crise teológica, crise espiritual. Quando os líderes estão em crise, a igreja também fica em crise. A igreja reflete os seus líderes. Não existem líderes neutros. Eles são uma bênção ou um problema.

A crise pastoral é refletida diretamente no púlpito. Estamos vendo o empobrecimento dos púlpitos. Poucos são os pastores que se preparam convenientemente para pregar. Pregadores rasos e secos pregam sermões sem poder para auditórios sonolentos. Há muitos pastores também que só preparam a cabeça, mas não o coração. São cultos, mas vazios. São intelectuais, mas áridos. Têm luz, mas não fogo. Têm conhecimento, mas não têm unção. Se quisermos um reavivamento genuíno na igreja evangélica brasileira, os pastores são os primeiros que terão de acertar sua vida com Deus. Quando o pastor é um graveto seco que pega o fogo do Espírito, até lenha verde começa a arder.

É tempo de orarmos para um reavivamento na vida dos pastores. É tempo de pedirmos a Deus que nos dê pastores segundo o seu coração. Precisamos de homens de Deus no púlpito. Precisamos de homens cheios do Espírito, de homens que conheçam a intimidade de Deus. John Wesley dizia: "Dá-me cem homens que não amem ninguém mais do que a Deus e que não temam nada senão o pecado e com eles eu abalarei o mundo".

O PASTOR E SUA PIEDADE

Uma das áreas mais importantes da pregação é a vida do pregador. John Stott afirma que a prática da pregação jamais pode ser divorciada da pessoa do pregador.[88] O que nós precisamos desesperadamente nestes dias não é apenas de pregadores eruditos, mas, sobretudo, de pregadores piedosos. A vida do pregador fala mais alto do que os seus sermões. "A ação fala mais alto do que as palavras. Exemplos influenciam mais do que preceitos."[89] E. M. Bounds descreve essa realidade da seguinte maneira:

> Volumes foram escritos ensinando detalhadamente a mecânica da preparação do sermão. Nós nos tornamos obcecados com a ideia de que esses andaimes são o próprio edifício. O pregador jovem é ensinado a gastar toda a sua força na forma, estilo e beleza do sermão como um produto mecânico e intelectual. Como consequência, nós cultivamos esse equivocado conceito

entre o povo e levantamos um clamor por talento, em vez de graça. Nós enfatizamos a eloquência, em vez da piedade, a retórica, em vez da revelação, a fama e o desempenho, em vez da santidade. O resultado é que nós perdemos a verdadeira ideia do que seja pregação. Nós perdemos a pregação poderosa e a pungente convicção de pecado... Com isso não estamos dizendo que os pregadores estão estudando muito. Alguns deles não estudam. Outros não estudam o suficiente. Muitos não estudam a ponto de se apresentarem como obreiros aprovados do que não têm de que se envergonhar (2Timóteo 2:15). Mas nossa grande falta não é em relação à cultura da cabeça, mas à cultura do coração. Não é falta de conhecimento, mas falta de santidade. Não é conhecer muito, mas não meditar o suficiente sobre Deus e sua palavra. Nós não vigiamos, jejuamos e oramos o suficiente.[90]

A vida do ministro é a vida do seu ministério. "A pregação poderosa está enraizada no solo da vida do pregador."[91] Uma vida ungida produz um ministério ungido. Santidade é o fundamento de um ministério poderoso.

R. L. Dabney diz que a primeira qualificação de um orador sacro é uma sincera e profunda piedade.[92] Um ministro do evangelho sem piedade é um desastre. Infelizmente, a santidade que muitos pregadores proclamam é cancelada pela impiedade de sua vida. Há um divórcio entre o que os pregadores proclamam e o que eles vivem. Há um abismo entre o sermão e a vida, entre a fé e as obras. Muitos pregadores não vivem o que pregam. Eles condenam o pecado no púlpito e o praticam em secreto. Charles

Spurgeon chega a afirmar que "o mais maligno servo de Satanás é o ministro infiel do evangelho".[93]

John Shaw diz que, enquanto a vida do ministro é a vida do seu ministério, os pecados do ministro são os mestres do pecado. Ele ainda afirma que é uma falta inescusável do pregador, quando os crimes e pecados que ele condena nos outros são justamente praticados por ele.[94] O apóstolo Paulo evidencia esse grande perigo:

> Tu, pois, que ensinas a outrem, não te ensinas a ti mesmo? Tu, que pregas que não se deve furtar, furtas? Dizes que não se deve cometer adultério e o cometes? Abominas os ídolos e lhes roubas os templos? Tu, que te glorias na lei, desonras a Deus pela transgressão da lei? Pois, como está escrito, o nome de Deus é blasfemado entre os gentios por vossa causa.[95]

Thielicke afirma que "seria completamente monstruoso para um homem ser o mais alto em ofício e o mais baixo em vida espiritual; o primeiro em posição e o último em vida".[96]

É bem conhecido o que disse Stanley Jones: "O maior inimigo do cristianismo não é o anticristianismo, mas o subcristianismo". O maior perigo não vem de fora, mas de dentro. Não há maior tragédia para a igreja do que um pregador ímpio e impuro no púlpito. Um ministro mundano representa um perigo maior para a igreja do que falsos profetas e falsas filosofias. É um terrível escândalo pregar a verdade e viver uma mentira, chamar o povo à santidade a viver uma vida impura. Um pregador sem

A vida devocional do pastor

piedade é uma contradição, um inaceitável escândalo. Um pregador sem piedade presta um grande desserviço ao Reino de Deus.

Ministros sem piedade são o principal impedimento para o saudável crescimento da igreja. É bem conhecido o que Dwight Moody disse: "O principal problema da obra são os obreiros". Semelhantemente, David Eby afirma: "Os pregadores são o real problema da pregação".[97]

A falta de piedade é algo terrível, especialmente na vida dos ministros do evangelho. Mas outro perigo insidioso é a ortodoxia sem piedade. Há muitos pastores pregando sermões bíblicos, doutrinas ortodoxas, mas seus sermões estão secos e sem vida. E. M. Bounds diz que a pregação que mata pode ser, e geralmente é, dogmática e inviolavelmente ortodoxa. A ortodoxia é boa. Ela é a melhor. Mas nada é tão morto como a ortodoxia morta.[98]

Infelizmente, muitos ministros têm somente a aparência de piedade. Eles professam uma fé ortodoxa, mas vivem uma vida espiritual pobre. Eles não têm vida devocional. Não têm vida de oração. Apenas fazem orações rituais e profissionais. Contudo, orações profissionais ajudam apenas a pregação a realizar o seu trabalho de morte. Orações profissionais, diz E. M. Bounds, "insensibilizam e matam tanto a pregação quanto a própria oração".[99] É triste ter de admitir que poucos ministros têm algum hábito devocional sistemático e pessoal.[100] Aquilo que o pastor é de joelhos em secreto, diante do Deus Todo-poderoso, é o que ele é, e nada mais.

E. M. Bounds escreve:

> O homem, o homem por inteiro está atrás do sermão. Pregação não é a atuação de uma hora. Pelo contrário, é o produto de uma vida. Levam-se vinte anos para fazer um sermão, porque gastam-se vinte anos para fazer um homem. O verdadeiro sermão é algo vivo. O sermão cresce, porque o homem cresce. O sermão é vigoroso, porque o homem é vigoroso. O sermão é santo, porque o homem é santo. O sermão é cheio da unção divina, porque o homem é cheio da unção de divina.[101]

Martyn Lloyd-Jones comentando sobre Robert Murray McCheyne, da Escócia, no século 19, diz:

> É comumente conhecido que, quando ele aparecia no púlpito, antes mesmo de ele dizer uma única palavra, o povo já começava a chorar silenciosamente. Por quê? Por causa desse elemento de seriedade. Todos tinham a absoluta convicção de que ele subia ao púlpito vindo da presença de Deus e trazendo uma palavra da parte de Deus para eles.[102]

O próprio Robert Murray McCheyne resume esse tópico nestas palavras: "Não é a grandes talentos que Deus abençoa de forma especial, mas à grande semelhança com Jesus. Um ministro santo é uma poderosa e tremenda arma nas mãos de Deus".[103]

A vida devocional do pastor

O PASTOR E SUA VIDA DE ORAÇÃO

O pastor deve ser primariamente um homem de oração e jejum. O relacionamento do pastor com Deus é a insígnia e a credencial do seu ministério público. "Os pregadores que prevalecem com Deus na vida pessoal de oração são os mais eficazes em seus púlpitos quando falam aos homens."[104]

A oração precisa ser prioridade tanto na vida do pastor como na agenda da igreja. Mede-se a profundidade de um ministério não pelo sucesso diante dos homens, mas pela intimidade com Deus. Mede-se a grandeza de uma igreja não pela beleza de seu edifício ou pela pujança de seu orçamento, mas pelo seu poder espiritual através da oração. No século 19, Charles Haddon Spurgeon disse que, em muitas igrejas, a reunião de oração era apenas o esqueleto de uma reunião, em que as pessoas não mais compareciam. Ele concluiu: "Se uma igreja não ora, ela está morta".[105]

Infelizmente, muitos pastores e igrejas abandonaram o alto privilégio de uma vida abundante de oração. Hoje nós gastamos mais tempo com reuniões de planejamento do que em reuniões de oração. Dependemos mais dos recursos dos homens do que dos recursos de Deus. Confiamos mais no preparo humano do que na capacitação divina. Consequentemente, temos visto muitos pastores eruditos no púlpito, mas ouvimos uma imensidão de mensagens fracas. Muitos pastores pregam sermões eruditos, mas sem o poder do Espírito Santo. Eles têm luz em sua mente, mas não têm fogo no coração.[106] Têm erudição, mas não têm poder. Têm fome por livros, mas não fome de Deus. Amam o conhecimento, mas não buscam a intimidade com Deus. Pregam para a mente, mas não para o coração. Têm uma boa atuação diante dos homens, mas não diante de Deus. Gastam muito tempo preparando seus sermões, mas não preparando seu coração. A confiança deles está firmada na sabedoria humana, e não no poder de Deus.

Homens secos pregam sermões secos, e sermões secos não produzem vida. E. M. Bounds afirma que "homens mortos pregam sermões mortos, e sermões mortos matam".[107] Sem oração não existe pregação poderosa. Charles Spurgeon diz: "Todas as nossas bibliotecas e estudos são mero vazio comparadas com a nossa sala de oração. Crescemos, lutamos e prevalecemos na oração privada".[108] Arturo Azurdia cita Edward Payson, afirmando que "é no lugar secreto de oração que a batalha é perdida ou ganha".[109] A oração tem uma importância transcendente, porque é o mais poderoso instrumento para promover a palavra de Deus.[110] É mais importante ensinar um estudante a orar do que a pregar.[111]

Se desejamos ver a manifestação do poder de Deus, se desejamos ver vidas sendo transformadas, se desejamos ver um saudável crescimento da igreja, devemos, portanto, orar regular, privativa, sincera e poderosamente. O profeta Isaías diz que a nossa oração deve ser perseverante, expectante, confiante, ininterrupta, importuna e vitoriosa.[112] O inferno treme quando uma igreja se dobra diante do Senhor Todo-poderoso para orar. A oração move a mão onipotente de Deus. "Quando trabalhamos, trabalhamos; mas quando oramos, Deus trabalha."[113] A oração não é o oposto de trabalho; ela não paralisa a atividade. Em vez

A vida devocional do pastor

disso, a oração é em si mesma o maior trabalho; ela trabalha poderosamente. Ela deságua em atividade, estimula o desejo e o esforço.

A oração não é um ópio, mas um tônico; não é um calmante para o sono, mas o despertamento para uma nova ação. Um homem preguiçoso não ora e não pode orar, porque a oração demanda energia. O apóstolo Paulo considera oração como uma luta, e uma luta agônica.[114] Para Jacó, a oração foi uma luta com o Senhor. A mulher siro-fenícia lutou com o Senhor através da oração até que saiu vitoriosa.

David Eby, comentando sobre a importância da oração na vida do pastor, diz: "Oração é a estrada de Deus para ensinar o pastor a depender do poder de Deus. Oração é a avenida de Deus para os pastores receberem graça, ousadia, sabedoria e amor para ministrarem a palavra".[115]

Muitos pregadores creem na eficácia da oração, mas poucos pregadores oram. Muitos ministros pregam sobre a necessidade da oração, mas poucos ministros oram. Eles leem muitos livros sobre oração, mas não oram. Eles têm bons postulados teológicos sobre oração, mas não têm fome de Deus.[116] Em muitas igrejas as reuniões de oração estão agonizando.[117] As pessoas estão muito ocupadas para orar. Elas têm tempo para viajar, trabalhar, ler, descansar, ver televisão, falar sobre política, esportes e teologia, mas não gastam tempo orando. Consequentemente, temos, às vezes, gigantes do conhecimento no púlpito, mas pigmeus no lugar secreto de oração. Tais pregadores conhecem muito a respeito de Deus, mas conhecem muito pouco a Deus.

De pastor a pastor

Pregação sem oração não provoca impacto. Sermão sem oração é sermão morto. Não estaremos preparados para pregar enquanto não orarmos. Lutero tinha um moto: "Aquele que orou bem, estudou bem".[118] David Larsen cita Karl Barth: "Se não houver grande agonia em nosso coração, não haverá grandes palavras em nossos lábios".[119]

Realizar a obra de Deus sem oração é presunção. Novos métodos, planos e organizações para levar a igreja ao crescimento saudável sem oração não são métodos de Deus. "A igreja está buscando melhores métodos; Deus está buscando melhores homens."[120] E. M. Bounds corretamente comenta:

> O que a igreja precisa hoje não é de mais ou melhores mecanismos, nem de nova organização ou mais e novos métodos. A igreja precisa de homens a quem o Espírito Santo possa usar, homens de oração, homens poderosos em oração. O Espírito Santo não flui através de métodos, mas através de homens. Ele não vem sobre mecanismos, mas sobre homens. Ele não unge planos, mas homens, e homens de oração![121]

A pregação poderosa requer oração. A pregação ungida e o crescimento da igreja requerem oração. David Eby ainda exorta:

> Pastor, você deve orar. Orar muito. Orar intensa e seriamente. Orar zelosa e entusiasticamente. Orar com propósito e com determinação. Orar pelo ministério da palavra em meio a

A vida devocional do pastor

seu rebanho e em sua comunidade. Orar pela sua própria pregação. Mobilize e recrute seu povo para orar por sua pregação. Pregação poderosa não acontecerá à parte da sua própria oração. Oração frequente, objetiva, intensa e abundante é requerida. A pregação torna-se poderosa quando um povo fraco ora humildemente. Esta é a grande mensagem do livro de Atos. O tipo de pregação que produz o crescimento da igreja vem pela oração. Pastor, dedique-se à oração. Continue em oração. Persista em oração por amor da glória de Deus no crescimento da igreja.[122]

Spurgeon via as reuniões de oração das segundas-feiras no Tabernáculo Metropolitano de Londres como o termômetro da igreja. Por vários anos, uma grande parte do principal auditório e da primeira galeria ficava completamente cheia nas reuniões de oração. Na concepção de Spurgeon, a reunião de oração era "a mais importante reunião da semana".[123] Spurgeon atribuiu o sinal da bênção de Deus sobre o seu ministério em Londres à fidelidade do seu povo orando por ele.[124]

Dwight L. Moody, fundador do Instituto Bíblico Moody, geralmente viu Deus agindo com grande poder quando outras pessoas oravam pelas suas reuniões na América e além mar. A. R. Torrey pregou em muitos países e viu grandes manifestações do poder de Deus. Ele disse: "Ore por grandes coisas, espere grandes coisas, trabalhe por grandes coisas, mas acima de tudo ore".[125] A oração é a chave que abre todos os tesouros da infinita graça e poder de Deus.

De pastor a pastor

O PASTOR E SEU ESTUDO DA PALAVRA

É impossível ser um pregador bíblico eficaz sem uma profunda dedicação aos estudos. "O pregador deve ser um estudante."[126] John MacArthur diz que um pregador expositivo deve ser um diligente estudante da Escritura,[127] e João Calvino afirma que o pregador precisa ser um erudito.[128] Charles Haddon Spurgeon diz que "aquele que cessa de aprender também cessa de ensinar. Aquele que não semeia nos seus estudos, não colhe no púlpito".[129] Todavia, o pregador que estuda sempre terá sermões cheios de verdor para pregar. Charles Koller afirma que "um pregador jamais manterá o interesse do seu povo se ele pregar somente da plenitude do seu coração e do vazio da sua cabeça".[130]

O pastor enfrenta o constante o perigo da preguiça dentro das quatro paredes do seu escritório.[131] A ordem do apóstolo é sumamente pertinente: "Procura apresentar-te a Deus aprovado, como obreiro de que não tem de que se envergonhar, que maneja bem a palavra da verdade".[132] A Bíblia é o grande e inesgotável reservatório da verdade cristã, uma imensa e inesgotável mina de ouro.[133] John Wesley revelou o seu compromisso com a Escritura. Ele disse: "Oh, dá-me o livro! Por qualquer preço, dá-me o livro de Deus! Nele há conhecimento o bastante para mim. Deixa-me ser o homem de um só livro".[134] Spurgeon disse a respeito de John Bunyan: "Corte-o em qualquer lugar e você descobrirá que o seu sangue é cheio de Bíblia. A própria essência da Bíblia fluirá dele. Ele não pode falar sem citar um texto, pois sua alma está repleta da palavra de Deus".[135]

O pregador precisa ler não apenas a palavra, mas também o mundo ao seu redor; precisa ler o texto antigo e a nova sociedade à sua volta. John Stott comenta que "devemos estudar tanto o texto antigo quanto a cena moderna, tanto a Escritura quanto a cultura, tanto a palavra quanto o mundo".[136]

W. A. Criswell, um dos maiores pregadores expositivos do século 20, pastor da Primeira Igreja Batista de Dallas, uma igreja com mais de 20.000 membros, diz que o púlpito requer estudo constante, sem o que nenhum pregador pode atender às necessidades do seu povo. Nenhum homem pode atender às demandas de um púlpito se não estuda de forma constante e séria.[137] Como um pregador que expôs toda a Bíblia, de Gênesis a Apocalipse em sua igreja, Criswell alerta que o ministro deve ser um estudante em todo lugar. Ele deve consagrar uma parte específica de cada dia para dedicar-se severa e sistematicamente ao estudo privativo. O pregador precisa estar cheio da verdade de Deus, se a mensagem tem um pequeno custo para o pregador, também terá um pequeno valor para a congregação.[138] Criswell dá a sua avaliação sobre a pregação contemporânea:

> Não há dúvida de que a maioria dos sermões é rala como uma sopa feita dos mesmos ossos durante o ano inteiro. Muitos pregadores usam clichês vazios de sentido. A mensagem de muitos púlpitos é banal e comum. Muitos pregadores estão cansados da sua própria maneira de pregar, visto que eles mesmos não têm fogo, nem entusiasmo, nem zelo, nem expectativa. Nossa pregação precisa alcançar continuamente nova profundidade,

em graça e em verdade, e nova altitude de frescor, em conteúdo. Sem essa firme e consistente apresentação do ensino da santa palavra de Deus, nosso povo cairá em toda sorte de erro, em muitas conhecidas heresias, e se tornará presa fácil de qualquer demagogia eclesiástica que flutue no mercado religioso.[139]

Infelizmente, há muitos pregadores despreparados no púlpito. Jay Adams comenta:

> Boa pregação exige trabalho árduo. De ouvir sermões e falar com centenas de pregadores sobre pregação, estou convencido de que a principal razão responsável pela pobre pregação dos nossos dias é o fracasso dos pregadores em dedicarem tempo adequado e mais empenho e energia na preparação do seus sermões. Muitos pregadores, talvez até mesmo a maioria deles, simplesmente não investem tempo suficiente em seus sermões.[140]

Vivemos em um tempo de pregação pobre, aguada e mal preparada.[141] O pregador não pode viver alimentando-se de leite magro durante a semana e pregar puro creme no domingo.[142]

Infelizmente, a tendência contemporânea está inclinada a remover a centralidade da palavra de Deus em favor da liturgia.[143] O culto está sendo transformado em um festival musical, em que o som e as cores tomaram o lugar do púlpito; os cantores tomaram o lugar do pregador, e a atuação, o lugar da unção. A falta de atenção à pregação; da palavra é um sinal da superficialidade da religião em nossos dias. "Sermonetes" geram "cristianetes".[144]

"Um cristianismo de sermões pequenos é um cristianismo de pouca fibra."[145] Oh, como devemos orar para que os pregadores sejam homens da palavra!

O PASTOR PRECISA DE REVESTIMENTO DE PODER

Somente o Espírito Santo pode aplicar a obra de Deus no coração do homem. Somente o Espírito Santo pode transformar corações e produzir vida espiritual. "Nenhuma eloquência ou retórica humana poderia convencer homens mortos em seus delitos e pecados acerca da verdade de Deus."[146] Charles Spurgeon declara:

> Se eu me esforçasse para ensinar um tigre a respeito das vantagens do vegetarianismo, teria mais esperança em meu esforço do que em tentar convencer um homem irregenerado acerca das verdades reveladas de Deus concernentes ao pecado, à justiça e ao juízo vindouro. Essas verdades espirituais são repugnantes aos homens carnais, e uma mente carnal não pode receber as coisas de Deus.[147]

Sem a unção do Espírito Santo, nossos sermões tornar-se-ão sem vida e sem poder. É o Espírito quem aplica a palavra. A palavra não opera à parte do Espírito.[148] Spurgeon, na mesma linha de raciocínio, dá o seu conselho aos pregadores: "Devemos depender do Espírito em nossa pregação".[149] Spurgeon sempre subia os quinze degraus do seu púlpito dizendo: "Creio no Espírito Santo".[150] Arturo Azurdia sabiamente declara:

O alvo da pregação é diferente de qualquer outro discurso público. O sermão tem objetivos mais profundos. Ele pode, mediante o poder do Espírito, renovar e purificar os corações. Se ele falhar nesse intento, terá fracassado completamente. E ele sempre falhará se não for acompanhado do poder do alto. A renovação da alma é o que nenhum homem com toda a sua riqueza de aprendizado, erudição e poder de comunicação pode fazer. Essa obra não é feita nem por força, nem por poder, mas pelo Espírito de Deus.[151]

A unção vem através de uma vida de oração. Outras coisas preciosas são dadas ao pregador através da oração e alguma coisa mais, mas a unção vem somente de uma vida de oração. Nada revela tanto a pobreza das nossas orações em secreto do que a ausência da unção do Espírito em nossa vida e pregação. Uma pregação bonita, retoricamente bem elaborada, exegeticamente meticulosa, teologicamente consistente em geral revela a erudição e a capacidade do pregador. Mas somente a unção do Espírito Santo revela a presença de Deus.[152] À parte a capacitação do Espírito Santo no ato da proclamação, a melhor técnica retórica fracassará totalmente em seu objetivo de transformar aqueles a quem pregamos.[153]

Todas as coisas em seu ministério de pregação dependem da presença, do poder e da plenitude do Espírito. A eloquência pode ser aprendida, mas a unção precisa ser recebida do alto. Os seminários podem ensinar os estudantes a ser grandes oradores, mas somente o Espírito Santo pode capacitá-los a ser

A vida devocional do pastor

pregadores cheios de poder. Livros de homilética podem ajudar os pregadores a preparar melhor os seus sermões, mas somente o Espírito Santo pode preparar eficazmente os pregadores. "Unção não se aprende através de retórica. Ela não é conseguida através da imitação de outros pregadores. Somente o Espírito Santo pode conceder unção ao pregador."[154] A unção representa a efusão do Espírito. Isto não é idêntico à mera animação. Toda paixão do pregador não constitui unção.[155] Assim como os santos sentimentos sugerem uma obra interior do Espírito, a unção enfatiza a manifestação externa do revestimento de poder.[156]

O apóstolo Paulo pregou sob a influência e o poder do Espírito Santo. Ele mesmo testemunha: "Porque o nosso evangelho não chegou até vós tão-somente em palavra, mas, sobretudo, em poder, no Espírito Santo e em profunda convicção".[157] À igreja de Corinto, Paulo diz: "A minha palavra e a minha pregação não consistiram em linguagem persuasiva de sabedoria, mas em demonstração do Espírito e de poder".[158]

Jesus dependeu do Espírito Santo desde a sua concepção e nascimento[159] até a sua morte na cruz[160] e através de todo o seu ministério.[161] Ele admoestou os seus discípulos a não começar o ministério até que fossem primeiramente revestidos com o poder do alto.[162] A igreja de Atos capítulo 1 é a igreja de portas fechadas. A descrição daquela igreja é bem parecida com a maioria das igrejas hoje: as pessoas gostam da comunhão, das orações, do estudo da palavra, da eleição de oficiais. Mas, quando o Espírito Santo desceu sobre os crentes no dia de

Pentecostes, as portas foram abertas, e a igreja de Deus começou a impactar a cidade e o mundo.[163]

As Escrituras repetidamente revelam a estreita conexão entre a vinda do Espírito Santo e a subsequente proclamação da palavra de Deus.[164] No livro de Atos, Lucas menciona o poder do Espírito Santo em conexão com o testemunho do evangelho pelos discípulos.[165]

Muitos pregadores e igrejas perderam a unção do Espírito Santo. Muitas igrejas têm influência política, riqueza, erudição, boa organização, belos templos, sofisticada tecnologia, eruditos pastores, mas não têm poder. A obra de Deus não é realizada através da força e da inteligência humana, mas através do poder do Espírito Santo.[166]

Os pregadores geralmente recusam-se a admitir que estão vazios do poder de Deus. Contudo, como eles querem impressionar as pessoas, buscam substitutos para esse poder, comprando um novo sistema de som para a igreja, modificando a liturgia do culto para provocar impressões mais fortes no auditório, introduzindo novos programas para substituir a ineficácia da pregação, pregando sermões mais curtos, dando maior ênfase à atuação dos grupos musicais.[167] Alex Montoya comenta que essas coisas não substituem a falta da presença e operação do Espírito Santo em nossa vida. Elementos artificiais não podem dar vida a um sermão morto pregado por um pregador destituído do Espírito.[168] Se quisermos alcançar os ouvidos dos santos e dos pecadores, o que mais necessitamos em nosso ministério é da unção do Espírito Santo.[169] Nada supera a importância da unção do Espírito na vida

A vida devocional do pastor

do pregador. "Cuidadosa preparação e a unção do Espírito Santo jamais devem ser consideradas alternativas, mas como dois elementos absolutamente necessários que se completam um ao outro."[170]

O grande evangelista Dwight Moody recebeu uma unção especial para pregar a palavra de Deus depois que duas humildes mulheres metodistas oraram por ele em Chicago. Elas lhe disseram: "Você precisa do poder do Espírito Santo". A seguir, ele pediu que elas orassem com ele e não simplesmente por ele. Pouco tempo depois as orações daquelas mulheres foram respondidas quando Moody estava em New York. O próprio Moody relata a sua experiência:

> Eu estava clamando o tempo todo para que Deus me ungisse com o seu Espírito. Bem, um dia, na cidade de Nova York – oh, que dia! Eu não posso descrevê-lo... Posso somente dizer que Deus se revelou a mim e tive tal experiência do seu amor que precisei pedir-lhe para suspender a sua mão de sobre mim. Depois desse dia eu continuei pregando. Os sermões não eram diferentes; eu não preguei nenhuma nova verdade, mas centenas de pessoas foram convertidas. Se alguém me oferecesse o mundo inteiro para voltar a viver do mesmo jeito que vivi antes dessa abençoada experiência, eu desprezaria essa proposta e a consideraria apenas como pó em uma balança.[171]

O que Deus fez na vida de muitos pregadores no passado como Lutero, Calvino, Hugh Latimer, John Bradford, George Whitefield, John Wesley, Howel Harris, Daniel Howland, Jonathan Edwards,

De pastor a pastor

Dwight Moody e outros, ele pode fazer novamente. Martyn Lloyd-Jones escreve sobre a urgente necessidade de procurarmos o Espírito Santo e o seu poder. Ele diz:

> O que faremos diante dessas coisas? Só existe uma conclusão óbvia. Procuremos o Espírito Santo! Procuremo-lo! O que nós poderíamos fazer sem ele? Procuremo-lo! Procuremo-lo sempre. Mas devemos ir além de procurá-lo; devemos esperá-lo... A unção do Espírito é a nossa suprema necessidade. Procuremo-la até a encontrarmos. Não se contente com nada menos do que a unção do Espírito. Prossiga até você poder dizer: "A minha palavra e a minha pregação não consistiram em linguagem persuasiva de sabedoria, mas em demonstração do Espírito e de poder". Deus ainda é e sempre será poderoso para fazer infinitamente mais do que pedimos ou pensamos conforme o seu poder que opera em nós.[172]

O PASTOR DEVE DEMONSTRAR PROFUNDO ARDOR NA PREGAÇÃO DA PALAVRA

Pregação é lógica em fogo! Pregação é razão eloquente! Pregação é teologia em fogo. Pregação é teologia vinda através de um homem que está em fogo.[173] John Stott comenta que Martyn Lloyd-Jones colocou o dedo sobre um ponto crucial. Para que a pregação tenha fogo, o pregador precisa ter fogo, e esse fogo só pode vir do Espírito Santo. Os nossos sermões jamais pegarão

A vida devocional do pastor

fogo a menos que o fogo do Espírito Santo queime em nosso próprio coração.[174] "Quando estivermos apaixonados por Deus, nossa pregação será cheia de paixão."[175] A luz e o fogo, a verdade e a paixão devem andar juntos. Quando Jesus expôs a verdade para os discípulos no caminho de Emaús, o coração deles ficou inflamado e começou a arder.[176]

Nenhum homem pode ser um grande pregador sem grandes sentimentos.[177] John Pollock, um biógrafo de George Whitefield, diz que ele raramente pregava um sermão sem lágrimas nos olhos.[178] Da mesma forma, Moody raramente falava para uma alma perdida sem lágrimas em seus olhos.[179] O pregador deve ser um homem de coração quebrantado, pregando para homens que tenham o coração quebrantado. Richard Baxter entendeu a pregação como uma tarefa apaixonante e urgente. Dizia ele: "Eu prego como se jamais fosse pregar novamente; eu prego como se estivesse morrendo, para homens que estão morrendo".[180] É impossível pregar efetiva e eficazmente a palavra de Deus sem paixão. "Pregação sem paixão não é pregação."[181]

Um pregador, certa feita, perguntou a Macready Garrick, um grande ator inglês, como ele podia atrair grandes multidões para assistir a uma ficção, enquanto ele mesmo estava pregando a verdade e não ajuntava grandes multidões para ouvi-lo. O ator respondeu: "Isto é simples. E posso mostrar-lhe a diferença que existe entre nós. É que eu apresento a minha ficção como se fosse verdade; e você apresenta a sua verdade como se fosse ficção".[182]

Como pregadores, precisamos pregar com profunda convicção e paixão. Devemos crer profundamente na mensagem que pregamos. Devemos colocar nosso coração em nossa pregação. As pessoas podem até rejeitar a nossa pregação, mas jamais duvidar da nossa sinceridade. John Stott comenta o seguinte fato:

> David Hume era um filósofo deísta britânico, do século 18, que rejeitou o cristianismo histórico. Certa feita um amigo o encontrou apressado caminhando pelas ruas de Londres e lhe perguntou aonde estava indo. Hume respondeu que estava indo ouvir George Whitefield pregar. "Mas certamente", seu amigo atonitamente perguntou, "você não crê no que George Whitefield prega, crê?" "Não, eu não creio", respondeu Hume, "mas ele crê".[183]

A pregação apaixonada deve ser feita com o coração em chamas. Não é um ensaio lido para um auditório desatento. A pregação é uma confrontação em nome do próprio Deus Todo-poderoso. Precisa ser anunciada com uma alma em chamas, na autoridade do Espírito Santo. A. W. Criswell cita John Wesley: "Ponha fogo no seu sermão, ou ponha seu sermão no fogo".[184]

Somente um pregador revestido com paixão pode ser um poderoso instrumento nas mãos de Deus para produzir impacto nos corações. John Stott cita Chad Wash: "A verdadeira função do pregador é incomodar as pessoas que estão acomodadas e acomodar as que estão incomodadas".[185] John Nilton disse que "o propósito da pregação é quebrar o coração duro e curar o coração

A vida devocional do pastor

quebrado".[186] O pregador deve ser um filho do trovão e um filho da consolação, e, em geral, ambos no mesmo sermão.[187]

Um pregador sem paixão cria uma audiência sem paixão. A falta de paixão e de vida nos sermões faz o povo dormir, em vez de despertá-lo. Montoya ilustra:

> Um pregador olhando para o seu auditório durante a sua prédica observou que um velho cavalheiro estava dormindo enquanto pregava. Ele então disse para o jovem garoto que estava sentado perto do ancião sonolento: "Menino, você poderia fazer a gentileza de acordar o seu avô que está dormindo ao seu lado?" O menino prontamente respondeu: "Por que o senhor mesmo não o acorda? Foi o senhor mesmo quem o colocou para dormir!"[188]

O mundo carece desesperadamente de pregações cheias de vigor e paixão. Não há espaço no púlpito para pregadores frios, sem vida e sem paixão. O púlpito sem poder endurece o coração dos ouvintes. Um pregador sem paixão é uma contradição de termos. O pregador sem o calor do Espírito deveria recolher-se ao silêncio até que as chamas voltassem a arder em seu coração. Quando perguntaram a Moody como começar um reavivamento na igreja, ele respondeu: "Acenda uma fogueira no púlpito". Finalizando, Charles Spurgeon ilustra:

> Um homem caiu acidentalmente soterrado por uma barreira que desabara. Muitos estavam cavando energicamente para

De pastor a pastor

desenterrá-lo. No local alguém permanecia indiferente, apenas contemplando o drama, quando foi informado: "É teu irmão quem está lá dentro". Essas palavras operaram nele uma imediata mudança; e, no mesmo instante, pôs-se a trabalhar febrilmente para resgatá-lo. Se é verdade que desejamos salvar nossos ouvintes da ira vindoura, é preciso que sintamos simpatia, compaixão e ansiedade; em uma palavra, paixão e amor ardente. Que Deus nos conceda tais sentimentos.[189]

Capítulo 5

Os atributos do pastor

Paulo foi um pastor por excelência. O texto de 1Tessalonicenses 2 oferece-nos um esboço dos atributos de Paulo como pastor. Seu legado serve de baliza para os pastores ainda hoje. À guisa de introdução, destaco três atributos desse servo pastor que devem ornar nossa vida.

Um pastor de almas não busca conforto, mas conversões. O apóstolo Paulo acabara de enfrentar uma prisão ilegal em Filipos. Fora preso e torturado, mas em vez de essa situação desencorajá-lo, deu-lhe ainda mais disposição para viajar a Tessalônica e prosseguir no ministério de pregação do evangelho. Um verdadeiro ministro do evangelho busca conversões, em vez de conforto e conveniência. Em vez de ganhar a vida pelo evangelho, ele estava pronto a dar a vida pelo evangelho.

Um pastor de almas não busca lucro, mas trabalho. Paulo não foi a Tessalônica para tirar algo dos tessalonicenses, mas para legar algo a eles. Paulo não foi à capital da província da Macedônia para tirar, mas para dar. Ele não foi para ganhar dinheiro, mas para ganhar almas. Sua motivação não era o lucro, mas a salvação das pessoas.

Paulo se dispôs a abrir mão de direitos legítimos e trabalhar com as próprias mãos para o seu sustento a fim de manter o privilégio de pregar o evangelho.[190] O ministério não é uma plataforma de lucro, mas um campo de serviço. É lamentável que alguns obreiros estejam transformando o evangelho em uma fonte de lucro. O maior bandeirante do cristianismo, o maior plantador de igrejas da história, o maior teólogo e evangelista da igreja primitiva, o apóstolo Paulo, terminou sua vida pobre, sozinho e sentenciado à morte. No entanto, nenhum rei, aristocrata, pensador ou filósofo é mais conhecido na história do que esse velho apóstolo.

Um pastor de almas não busca aplauso dos homens, mas aprovação de Deus. Paulo era um pastor, e não um bajulador. Ele não pregava para agradar a homens, mas para ser aprovado por Deus. Ele não buscava aplausos e reconhecimentos humanos, mas lutava para ser irrepreensível diante de Deus.

Um bajulador se empenha em tornar a mensagem palatável e azeitada para agradar as pessoas. Ele busca a sua glória pessoal, e não a glória de Deus. Está mais interessado em promover o seu nome do que em exaltar o nome de Cristo. Está mais interessado em arrancar os aplausos dos homens do que em ser aprovado por Deus. Está mais interessado em ser amado na terra do que em ser conhecido no céu.

Como dissemos, o segundo capítulo da Primeira Carta aos Tessalonicenses é uma defesa de Paulo aos vários ataques impingidos por seus inimigos à sua pessoa, à sua mensagem, aos seus propósitos e aos seus métodos. William Hendriksen diz que Paulo se defendeu porque sabia que, se os inimigos fossem bem-sucedidos em suscitar desconfiança em relação à pessoa do mensageiro, a mensagem teria sofrido uma morte natural.[191]

Analisemos o texto de 1Tessalonicenses 2:1-20 e vejamos os atributos de um pastor de almas.

Um evangelista frutífero (1Tessalonicenses 2:1-3)

Paulo foi um evangelista de qualidades superlativas. Foi um pregador ungido e um profícuo ganhador de almas. Três características despontam-se nele como um pregador evangelista:

Primeiro, *Paulo foi um ganhador de almas prolífico* (1Tessalonicenses 2:1). Paulo tinha um ministério frutífero. Ele não era um obreiro vazio e estéril, mas um grande ganhador de almas. Paulo foi o maior teólogo do cristianismo e também o maior evangelista. Foi um missionário plantador de igrejas e também um zeloso e dedicado pastor. Michael Green afirma que hoje, infelizmente, os teólogos não querem ser evangelistas, nem os evangelistas querem ser teólogos.

Paulo era um ganhador de almas. Por onde passava, deixava muitos frutos do seu trabalho. Sua estada em Tessalônica não foi infrutífera. Em apenas três semanas há registros de numerosa multidão sendo salva.[192] Não há outra explicação para esse

De pastor a pastor

estupendo resultado senão uma intervenção poderosa do Espírito Santo aplicando a palavra no coração.

Segundo, *Paulo foi um pregador abnegado* (1Tessalonicenses 2:1,2). Paulo e Silas foram espancados e ultrajados em Filipos e, mesmo assim, se dirigiram a Tessalônica e pregaram o evangelho. Muitos poderiam ter tirado férias ou dado um tempo no ministério depois de tão violenta perseguição, mas Paulo se dispôs a pregar a palavra de Deus ousadamente em Tessalônica.[193] O ministério de pregação em Tessalônica ocorreu também em meio a uma luta agônica.

Os críticos de Paulo queriam desacreditar sua pessoa, assacando contra ele pesadas e levianas acusações. Havia quem dissesse em Tessalônica que Paulo tinha um prontuário policial, que não era mais que um delinquente fugitivo da justiça, e que, obviamente, não se podia dar ouvidos a um homem dessa índole.[194] Contudo, assim como as trevas não podem prevalecer contra a luz, e a mentira não pode triunfar sobre a verdade, as acusações mentirosas dos inimigos não conseguiram destruir a reputação do apóstolo.

Terceiro, *Paulo foi um encorajador sincero* (1Tessalonicenses 2:3). Paulo pregou o evangelho puro, viveu uma vida pura e usou métodos puros. Ele não removeu nada da palavra nem acrescentou coisa alguma a ela. Não havia contradição entre o que se destilava dos seus lábios e o que subia do seu coração.

A palavra "exortação" usada por Paulo, *paraklasis*, indica um apelo, tendo como objeto o benefício direto dos ouvintes, e que pode ser hortativo ou conciliatório, conforme as circunstâncias. A palavra era usada para encorajar soldados antes da batalha, e se dizia que o encorajamento era necessário para soldados pagos, mas desnecessário para os que lutavam por sua vida e seus país.[195] Warren Wiersbe diz que Paulo ensina aqui três importantes verdades: a mensagem, o motivo e o método de seu ministério.[196] Vejamos essas três verdades:

A mensagem do seu ministério (1Tessalonicenses 2:3a). Paulo pregava o evangelho puro. A primeira coisa que Paulo faz é reafirmar a veracidade de sua mensagem, quando diz: "Pois a nossa exortação não procede de engano".[197] A mensagem de Paulo não era criada por ele, mas recebida de Deus. Seis vezes nessa carta, ele menciona o auspicioso fato de ter recebido o evangelho de Deus, e não de homens.

O motivo do seu ministério (1Tessalonicenses 2:3b). Paulo vivia uma vida pura. Ele deixa claro o motivo pelo qual realizava seu ministério. A sua exortação não procedia de impureza. É geralmente reconhecido que o pensamento aqui não se refere à impureza física ou ritual, mas, sim, à impureza moral.[198] Alguns acusavam Paulo de estar fazendo a obra com a motivação errada. Mas seus motivos eram puros diante de Deus e dos homens. Uns pregavam a mensagem errada com a motivação errada; outros pregavam a mensagem certa com a motivação errada (Filipenses 1:14-19), mas Paulo pregava a mensagem certa com a motivação certa.

O método de seu ministério (1Tessalonicenses 2:3c). Paulo não enganava as pessoas. Ele não empregava métodos desonestos a fim de que as pessoas acreditassem na sua mensagem, diz Howard Marshall.[199] O termo grego traduzido por "dolo" tem o sentido de "colocar a isca no anzol". Em outras palavras, Paulo não pegava as pessoas em armadilhas prometendo a salvação, como um vendedor astuto faz para as pessoas comprarem seus produtos. A salvação não se dá por uma argumentação astuta nem por uma apresentação refinada. Antes, é resultado da palavra de Deus e do poder do Espírito Santo.[200]

Nos dias de Paulo a religião estava transformando-se em um meio de se fazer dinheiro.[201] Mas Paulo dá seu testemunho de integridade na área financeira.[202] Paulo era um obreiro muito atento quanto à transparência na questão do dinheiro.[203] Ele chegou a abrir mão do seu legítimo direito de sustento para não comprometer o progresso do evangelho. William Hendriksen diz que o mundo daqueles dias estava saturado de "filósofos", ilusionistas, feiticeiros, charlatães e trapaceiros ambulantes. Eles usavam de muita astúcia com o fim de impressionar os ouvintes.[204] Paulo não era um charlatão e embusteiro como eles. Paulo jamais usou a mensagem de Deus para acobertar algum tipo de ganância.

UM MORDOMO FIEL (1TESSALONICENSES 2:4-6)

Destaco dois aspectos fundamentais de Paulo como um mordomo fiel:

Primeiro, *Paulo foi um obreiro aprovado diante de Deus* (1Tessalonicenses 2:4). Paulo foi aprovado por Deus, por isso Deus lhe confiou o evangelho. O verbo aqui está no aspecto contínuo que sugere que o escrutínio de Deus não é, por assim dizer, um vestibular único, de uma vez para sempre, para seus servos; e, sim, um processo continuamente operativo daquilo que hoje em dia poderia ser chamado de "controle de qualidade".[205]

A palavra grega *dedokimasmetha*, empregada por Paulo para "aprovado", era usada no grego clássico com o sentido técnico de descrever a pessoa aprovada como alguém passível de eleição para um cargo público.[206] Paulo tinha não só a revelação, mas também a aprovação. Ele tinha o conteúdo glorioso do evangelho de Deus e uma vida reta diante de Deus. Sua pregação era respaldada por sua vida. Seu ministério foi plantado no solo fértil de uma vida piedosa. Vida com Deus precede ministério para Deus. A vida é a base do ministério e precede o ministério. A maior prioridade do obreiro não é fazer a obra de Deus, mas ter comunhão com o Deus da obra.[207] Vida com Deus é a base do trabalho para Deus. Na verdade, Deus está mais interessado em quem nós somos do que no que nós fazemos.

Paulo pregava para agradar a Deus, e não a homens. Não pregava o que o povo queria ouvir, mas o que o povo precisava ouvir. Não pregava para entreter os bodes, mas para alimentar as ovelhas. A pregação da verdade não é popular, mas é vital para a salvação.

Segundo, *Paulo foi um obreiro irrepreensível diante dos homens* (1Tessalonicenses 2:5,6). O apóstolo Paulo menciona três fatores da sua irrepreensibilidade diante dos homens:

Ele não era um bajulador (1Tessalonicenses 2:5a). A palavra usada por Paulo para "bajulação" é *kolakeia*, que descreve a adulação que sempre pretende ganhar algo, a lisonja por motivos de lucros.[208] Fritz Rienecker, nessa mesma linha de pensamento, afirma que essa palavra grega contém a ideia de enganar com fins egoístas. Não é apenas aquela conversa fiada para dar prazer a outras pessoas, mas a fim de ter lucro. É o engano mediante a eloquência, a fim de ganhar o coração das pessoas com o propósito de explorá-las.[209]

O bajulador é aquele que fala uma coisa e sente outra. Ele tem a voz macia como a manteiga, e o coração duro como uma pedra. Tem palavras aveludadas e motivação ferina como uma espada.[210] Havia plena sintonia entre o que Paulo falava e o que ele sentia. Paulo dá seu testemunho diante de todos: "... como sabeis".[211] E também dá seu testemunho diante de Deus: "... Deus disto é testemunha".[212]

Ele não era um mercenário (1Tessalonicenses 2:5b). A palavra grega *pleonexia*, traduzida por "ganância", indica a cobiça de todos os tipos, e, portanto, o desejo de despojar outras pessoas daquilo que lhes pertence.[213]

Paulo não pregava para arrancar o dinheiro do bolso das pessoas, mas para arrancar-lhes do peito o coração de pedra, a fim de receberem um coração de carne. Paulo não buscava lucro, mas salvação. Sua recompensa não era dinheiro, mas vidas salvas. Os motivos de Paulo em fazer a obra de Deus eram puros. Ele não fazia do ministério uma plataforma para enriquecer. Ele não estava atrás do dinheiro das pessoas, mas ansiava pela salvação delas.

Ele não era um megalomaníaco (1Tessalonicenses 2:6). Paulo não pregava para alcançar glória e prestígio humano. Não andava atrás de lisonjas humanas. Não buscava prestígio pessoal nem glória de homens. Não dependia desse reprovável expediente. Ele sabia quem era e o que devia fazer. Não precisava bajular nem receber bajulação. Sua realização pessoal não procedia da opinião das pessoas, mas da aprovação de Deus. É digno de nota que, em 1Tessalonicenses 1:5, Paulo não tenha dito: "Eu cheguei até vós", mas: "O nosso evangelho chegou até vós". O foco não estava no homem, mas no evangelho.[214] O culto à personalidade é um pecado. Toda a glória que não é dada a Deus é vanglória, é glória vazia.

UMA MÃE CARINHOSA (1TESSALONICENSES 2:7,8)

Quatro verdades sublimes são aqui destacadas:

Primeiro, *como uma mãe, Paulo abriu mão de seus direitos* (1Tessalonicenses 2:7). A palavra grega usada por Paulo para "ama" é *trófos*, alguém que alimenta, ama, babá, enfermeira. Uma ama no mundo antigo não somente tinha estipulações contratuais estritas, mas frequentemente vinha a ser uma pessoa da inteira confiança, cuja influência era duradoura.[215] Concordo, entretanto, com William Hendriksen, quando escreve:

> Com toda probabilidade, o sentido não é "como quando uma nutriz cuida dos filhos de sua patroa", ou seja, os filhos foram postos sob o cuidado dessa nutriz (mãe de leite); mas "como quando uma nutriz é a mãe que aquece, afaga, acaricia os filhos de seu próprio ventre" (visto que ela mesma os deu à luz).[216]

Uma mãe é aquela que quando tem apenas um pão para repartir diz para o filho que não está com fome. Uma mãe se dispõe a abrir mão dos seus direitos em favor dos filhos. Semelhantemente, Paulo tinha o direito de exigir dos tessalonicenses o seu sustento[217] mas, ele, de forma voluntária e abnegada, abriu mão desses direitos para suprir as necessidades dos tessalonicenses como uma ama carinhosa que acaricia os próprios filhos. Paulo não era um mercenário, mas um pastor. Ele não apascentava a si mesmo, mas o rebanho de Deus. Ele colocava a necessidade dos outros acima das suas próprias necessidades.

Segundo, *como uma mãe, Paulo cuidou dos seus filhos espirituais com ternura* (1Tessalonicenses 2:7). Paulo tratou os crentes de Tessalônica carinhosamente como uma ama que acaricia seus filhos. A ênfase do mordomo é a fidelidade. A ênfase da mãe é a gentileza e a ternura. Como apóstolo, ele tinha autoridade, mas sempre a exerceu com amor.[218] Paulo era como uma mãe afetuosa cuidando de um bebê. Ele demonstrou pelos seus filhos na fé amor intenso, cuidado constante, dedicação sem reservas, paciência triunfadora, provisão diária, afeto explícito, proteção vigilante e disciplina amorosa.

Muitos obreiros lideram o povo de Deus com truculência e rigor despótico. São ditadores implacáveis, e não pastores amorosos. Esmagam as ovelhas com sua autoridade auto-imposta, em vez de conduzir o rebanho com a ternura de uma mãe.

Terceiro, *como uma mãe, Paulo cuidou dos seus filhos espirituais com sacrifício cabal* (1Tessalonicenses 2:8). Paulo estava pronto a dar sua própria vida pelos crentes de Tessalônica. O pastor verdadeiro, aquele que imita o supremo pastor, dá a vida por suas ovelhas.[219] Ele não vive para explorá-las, mas para servi-las. Seu ministério é de doação, e não de exploração. Seu sacrifício é cabal, como uma mãe está pronta a dar sua própria vida para proteger o filho. Seu amor é sacrificial. Foi esse fato que permitiu ao rei Salomão descobrir qual mulher era a verdadeira mãe da criança sobrevivente.[220]

A mãe que amamenta oferece parte da própria vida ao filho. A mãe que amamenta não pode entregar seu filho aos cuidados de outra pessoa. O bebê deve ficar em seus braços, próximo a seu coração. A mãe que amamenta ingere os alimentos e os transforma em leite para o filho. O cristão maduro alimenta-se da palavra de Deus e compartilha esse alimento com os cristãos mais novos, para que possam crescer.[221] Uma criança que ainda mama pode ficar doente por causa de algo que a mãe ingeriu. O cristão que está nutrindo outros deve ter cuidado para que ele próprio não se alimente de coisas erradas.[222]

Quarto, *como uma mãe, Paulo cuidou dos seus filhos espirituais com a melhor provisão* (1Tessalonicenses 2:8b). Paulo se sacrificou para oferecer aos crentes o evangelho de Deus. Ele não pregou em Tessalônica vãs filosofias, mas expôs as Escrituras. Ele não pregou estribado em sabedoria humana, mas no poder do Espírito Santo. Sua pregação não era uma lisonja para fazer cócegas nos ouvidos, nem um instrumento para massagear o ego dos líderes da sinagoga. Ele pregou o evangelho de Deus. Ofereceu ao povo o pão nutritivo da verdade. Os púlpitos estão pobres da palavra. A igreja está faminta da palavra. A igreja precisa desesperadamente

De pastor a pastor

voltar-se para a pregação fiel da palavra. Se os pastores não derem pão ao seu rebanho, as ovelhas ficarão fracas e vulneráveis às falsas doutrinas que invadem o mercado da fé.

Um pai exemplar (1Tessalonicenses 2:9-12)

Um verdadeiro pai não é apenas o que gera filhos, mas também o que cuida deles. Destacamos alguns pontos importantes no ministério de Paulo como pai espiritual dos tessalonicenses.

Quatro aspectos definem o ministério de pai exercido por Paulo: Primeiro, *um trabalho memorável* (1Tessalonicenses 2:9). Embora a igreja de Filipos, por duas vezes, tivesse enviado dinheiro para ajudar Paulo em Tessalônica[223] e embora fosse seu direito exigir sustento da igreja,[224] ele decidiu trabalhar para se sustentar.[225] O pai trabalha para sustentar a família. Ninguém podia acusá-lo responsavelmente de ganância financeira.[226] Mesmo tendo o direito legítimo de exigir seu sustento, não dependia dele para fazer a obra de Deus. Paulo não estava no ministério por causa do salário. Sua motivação nunca foi o dinheiro, mas a glória de Deus, a salvação dos perdidos e a edificação da igreja.

Segundo, *um procedimento irretocável* (1Tessalonicenses 2:10). Paulo evoca o testemunho de Deus e da igreja acerca do seu procedimento no meio dos tessalonicenses. Ele tinha uma relação certa com Deus, consigo e com a igreja. Howard Marshall diz que os três adjetivos (que representam advérbios gregos) têm significados próximos entre si e são colocados juntos visando a sua ênfase.[227] Vejamos esses três adjetivos:

Paulo viveu de forma piedosa (1Tessalonicenses 2:10). O termo grego *hosios*, "piamente", "santamente" descreve o dever da pessoa para com Deus.[228] Fala da correta relação de Paulo com Deus. A piedade tem que ver com uma vida de santidade, pureza e fidelidade a Deus. A piedade trata da verticalidade da vida.

Paulo viveu de forma justa (1Tessalonicenses 2:10). O termo grego *dikaios* indica o dever para com os homens.[229] Também fala de uma relação correta consigo mesmo. Paulo era um homem íntegro, inteiro e sem dupla face. Não havia brechas no escudo de sua fé. Não havia áreas escuras no seu caráter. Ele podia viver em paz com sua própria consciência.

Paulo viveu de forma irrepreensível (1Tessalonicenses 2:10). A palavra grega, *amemptos*, usada para descrever o advérbio "irrepreensivelmente", tem que ver com o reflexo público da vida. Fala de uma relação correta com os outros. Seus inimigos podiam odiá-lo, acusá-lo e até assacar contra ele pesadas e levianas acusações, mas não podiam encontrar nada que o envergonhasse. Paulo era um obreiro irrepreensível.

Terceiro, *palavras encorajadoras* (1Tessalonicenses 2:11,12). Um pai não deve apenas sustentar a família com seu trabalho e ensinar-lhe com seu exemplo, mas também deve ter tempo para conversar com os membros da família, diz Warren Wiersbe.[230] Paulo sabia da importância de ensinar os novos crentes. Quatro verdades nos chamam a atenção nesse ponto:

Paulo ensinava cada filho espiritual individualmente (1Tessalonicenses 2:11). Paulo não era um pregador-estrela que só gostava do *glamour* da multidão. Ele gastava tempo cuidando de cada pessoa.

Paulo não era um *showman*, um ator, um astro que sobe em um palco sob as luzes da ribalta para entreter uma multidão. Era um pai para quem cada filho tinha um valor singular e por quem estava pronto a dar sua própria vida.

Paulo exortava cada filho na fé (1Tessalonicenses 2:12a). A palavra "exortar" traz a ideia de estar do lado para encorajar. Um pai responsável equilibra disciplina com encorajamento. Ele usa a vara e também ministra amor. Tem firmeza e doçura. Faz dos filhos seus verdadeiros discípulos.

Paulo consolava cada filho na fé (1Tessalonicenses 2:12b). Essa palavra está ligada à ação. Paulo não apenas os fez sentir-se melhor, mas os encorajou a fazer coisas melhores.

Paulo admoestava cada filho na fé (1Tessalonicenses 2:12c). A palavra "admoestar" vem do termo grego *nouthesia*, que significa confronto. O papel de um pai não é, o todo tempo, agradar os filhos, mas prepará-los para a vida. James Hunter, em seu livro *O monge e o executivo*, diz que um pai precisa distinguir entre desejo e necessidade. O papel do pai não é atender todos os desejos dos filhos, mas suprir suas necessidades. Um pai responsável confronta seus filhos, ainda que esse expediente os leve às lágrimas.

Quarto, *propósito sublime* (1Tessalonicenses 2:12d). O propósito de Paulo ao ensinar os seus filhos na fé era que eles vivessem de modo digno de Deus. O termo "digno" usado por Paulo traz a ideia de uma balança, no qual nossa vida deve equilibrar-se com a vida de Cristo. O alvo de Paulo era levar os crentes à maturidade espiritual. Os tessalonicenses deveriam atingir a plenitude da estatura de Cristo.

Os atributos do pastor

Um obreiro amoroso (1Tessalonicenses 2:13-20)

O pastorado é uma mistura de alegrias e lágrimas, de conquistas e sofrimentos. O pastor participa das vitórias e perdas do rebanho. Celebra o nascimento e chora com o luto. Vai de uma festa de núpcias ao amargo momento de um velório em um mesmo dia.

Warren Wiersbe fala sobre três recursos divinos que temos nos tempos de sofrimento e perseguição: a palavra de Deus dentro de nós, o povo de Deus ao redor de nós e a glória de Deus diante de nós.[231] Vamos considerar esses recursos.

Primeiro, *a palavra de Deus dentro de nós* (1Tessalonicenses 2:13). Da pregação da mensagem, Paulo volta-se para o recebimento e acha razão para dar graças a Deus pela resposta positiva dos tessalonicenses.[232] A igreja de Tessalônica recebeu a palavra como palavra de Deus. Eles a tiveram em alta conta. A palavra tornou-se de fato para eles a única regra de fé e prática. A mesma palavra que os salvara[233] os capacita a viver vitoriosamente em Cristo, mesmo em meio às perseguições. A igreja contemporânea precisa resgatar o glorioso significado e valor da palavra. Precisamos não apenas conhecê-la, mas também obedecer a ela. Paulo destaca três fatos importantes:

Eles apreciaram a palavra (1Tessalonicenses 2:13). Eles não a receberam apenas como palavras de homens, mas, sobretudo, como palavra de Deus. A Bíblia é a palavra revelada e escrita de Deus, infalível, inerrante e suficiente. Ela é melhor do que o melhor dos alimentos[234] e mais preciosa do que a melhor das riquezas.[235]

De pastor a pastor

Eles se apropriaram da palavra (1Tessalonicenses 2:13). A palavra "acolheram" usada por Paulo significa mais do que ouvir. Significa ouvir com o coração e internalizar a palavra. É ouvir e levar a sério. Nesse tempo em que muitas igrejas substituem a pregação pelo entretenimento, precisamos acautelar-nos.[236] Não há esperança para a igreja fora da palavra. Não há vida abundante para a igreja sem a palavra. Não precisamos buscar as novidades do mercado da fé, mas buscar as finas iguarias da mesa de Deus. A Bíblia é um banquete com alimento rico, nutritivo e variado. Nela temos tudo aquilo de que precisamos para crescer na graça e no conhecimento de Cristo.

Eles aplicaram a palavra (1Tessalonicenses 2:13). A palavra de Deus estava operando eficazmente nos crentes. Houve aplicação da palavra e a palavra aplicada gerou mudança e transformação de vida. A palavra de Deus em nós é uma grande fonte de poder nos tempos de provação.

Segundo, *o povo de Deus ao redor de nós* (1Tessalonicenses 2:14-16). A prova de que os tessalonicenses tinham recebido verdadeiramente a palavra podia ser vista na sua disposição de passar por aflições em prol da sua fé, resposta essa que os colocou lado a lado com outros cristãos e, na realidade, com o próprio Jesus, diz Howard Marshall.[237]

Quando estamos passando por uma tribulação, somos levados a pensar que estamos sozinhos e o que o nosso sofrimento é o maior do mundo. Mas precisamos levantar os olhos e saber que há outras pessoas passando pelos mesmos sofrimentos e, assim como Deus os sustenta, também sustentará a nós. Paulo encoraja os tessalonicenses no meio da perseguição dizendo que eles estavam pisando no mesmo terreno onde os santos pisaram.

Os crentes de Tessalônica imitaram não apenas a Paulo e ao Senhor Jesus, mas também aos crentes de Jerusalém. Paulo compara os crentes de Tessalônica com os crentes da Judeia porque ambos eram objetos da perseguição dos judeus. Paulo encoraja os crentes, dizendo que o sofrimento deles não era uma experiência isolada. Outros já tinham sofrido antes deles e ainda outros estavam sofrendo com eles. No entanto, assim como o sofrimento não destruiu a igreja da Judeia, antes a purificou enquanto seus perseguidores estavam enchendo a medida dos seus pecados, Deus também nos livrará e derramará sobre os que nos perseguem o seu justo juízo.

Terceiro, *a glória de Deus diante de nós* (1Tessalonicenses 2:17-20). A escatologia para Paulo nunca foi tema de especulação acadêmica, mas um assunto prático que o encorajava a viver em santidade e a trabalhar com ardor. No que concerne ao seu zelo pastoral, Paulo destaca aqui três importantes verdades:

Paulo gostava de cheiro de ovelha (1Tessalonicenses 2:17,18). Paulo estava ausente da igreja apenas fisicamente, mas os conservava no coração. Ele não tinha pressa para deixá-los, mas ânsia para estar com eles. Embora não pudesse haver nenhum encontro face a face com seus filhos na fé, não deixavam de estar bem perto dele nos seus pensamentos e sentimentos: longe da vista, mas não longe do coração.[238] Os crentes eram considerados sua coroa e alegria.

De pastor a pastor

Paulo via o pastorado como um campo de batalha espiritual (1 Tessalonicenses 2:18). Enfrentamos não apenas perseguição visível, mas também resistência invisível. Satanás está em ação para impedir o avanço missionário da igreja. A palavra que Paulo usou, *enékoptein*, significa cortar e impedir. É a palavra técnica que expressa o bloqueio de uma estrada para frear a marcha de uma expedição.[239] Nessa mesma linha de pensamento Fritz Rienecker diz que a palavra era usada originalmente para a obstrução de uma estrada a fim de torná-la intransitável e, mais tarde, foi usada para indicar uma ruptura nas linhas do inimigo, em uma metáfora militar. Também era usada no sentido atlético de cortar alguém durante uma corrida.[240] Satanás sempre tenta colocar obstáculos no caminho do cristão. Ele resiste à obra de Deus e aos obreiros de Deus. É sugestivo o que escreve William Hendriksen sobre esse ponto:

> Satanás impedia que os missionários levassem a bom termo o seu regresso a Tessalônica. Exatamente como é que Satanás fez isso? Porventura influenciando a mente dos politarcas de Tessalônica, de modo que levassem Jasom a perder sua fiança (Atos 17:9) caso os missionários voltassem? Ou trazendo de outra parte um contingente suficiente de dificuldades de modo que nem Paulo sozinho nem todos os três tivessem como regressar? Realmente não sabemos. Além do mais, isso não tem importância. O fato, por si só, de que Satanás exerce poderosa influência nas atividades dos homens, especialmente quando eles se esforçam para promover os interesses do reino de Deus, é suficientemente claro à luz de outras passagens (Jó 2:6-12; Zacarias 3:1; Daniel

Os atributos do pastor

10:10-21). Não obstante, Deus reina sempre de forma suprema, transformando soberanamente o mal em bem (1Coríntios 12:7-9). Ainda quando o diabo tenta desfazer o caminho, estabelecendo mentira, bloqueando assim, aparentemente, nosso avanço, o plano secreto de Deus jamais é frustrado. Satanás pode interromper-nos, impedindo-nos de realizar o que, por um momento, parece-nos ser o melhor; os caminhos de Deus, porém, são sempre melhores que os nossos.[241]

Paulo olhava para cada filho na fé como uma coroa a receber de Cristo na sua vinda (1Tessalonicenses 2:19,20). Paulo não apenas declara seu amor público pelos crentes, mas também se alegra por pensar no dia de Cristo e lembrar que cada crente que ele ganhou será como uma coroa de um vencedor.

Precisamos não apenas aguardar a segunda vinda de Cristo,[242] mas também ganhar outras pessoas para apresentarmos ao Senhor na sua segunda vinda.[243] No grego existem dois termos distintos para descrever "coroa". Um, *diadema*, é usado quase exclusivamente para a coroa real; o outro, *stefanos*, quase exclusivamente para a coroa de um vencedor em alguma lide ou competição atlética. Aqui, Paulo usa *stefanos*. Paulo via os crentes de Tessalônica como sua coroa. A maior glória de um crente não é conquistar riquezas, mas ganhar almas.[244] A Bíblia diz que quem ganha almas é sábio.[245]

Depois de analisar essa descrição de 1Tessalonicenses 2:1-20 e observar os atributos de Paulo como pastor, precisamos checar a nós mesmos. Podemos colocar a nossa fotografia nessa mesma moldura onde está o retrato de Paulo? Somos imitadores do apóstolo como ele foi de Cristo? Revelamos no nosso ministério a postura de uma mãe amorosa e de um pai zeloso? Portamo-nos como mordomos e como obreiros irrepreensíveis? Temos consciência tranquila diante de Deus e dos homens acerca da integridade do nosso ministério? Minha oração é que Deus nos dê pastores segundo seu coração e que vejamos uma safra de obreiros que conheçam a intimidade de Deus, trabalhem com fervor e fidelidade e pastoreiem a igreja de Deus como obreiros aprovados que não tenham do que se envergonhar.

Capítulo 6

Os sofrimentos do pastor

O céu não é aqui. Aqui não pisamos tapetes aveludados nem caminhamos em ruas de ouro, mas cruzamos vales de lágrimas. Aqui não recebemos os galardões, mas bebemos o cálice da dor.

Paulo foi a maior expressão do cristianismo de todos os tempos. Viveu uma vida superlativa. Homem de oração e jejum. Pregador incomum, teólogo incomparável, plantador de igrejas sem paralelos. Viveu perto do Trono, mas, ao mesmo tempo, foi açoitado, preso, algemado e degolado. Tombou como mártir na terra, levantou-se como príncipe no céu. Sua vida muito nos ensina. Seu exemplo nos inspira. Aprendemos com ele que a graça de Deus nos capacita a enfrentar vitoriosamente os sofrimentos da lida pastoral.

Examinemos o texto de 2Timóteo 4:6-23 e extraiamos algumas lições acerca do sofrimento do pastor.

A GRAÇA DE DEUS NOS CAPACITA A ENFRENTAR O SOFRIMENTO

Os sofrimentos da lida pastoral são variados. Falando acerca de Paulo, Deus disse a Ananias: "Eu lhe mostrarei o quanto lhe importa sofrer pelo meu nome".[246] Paulo foi perseguido em Damasco; rejeitado em Jerusalém; esquecido em Tarso; apedrejado em Listra; açoitado e preso em Filipos; escorraçado de Tessalônica e Bereia; chamado de tagarela em Atenas e de impostor em Corinto; duramente atacado em Éfeso; preso em Jerusalém; acusado em Cesareia; vítima de naufrágio na viagem para Roma; picado por uma serpente em Malta; preso e degolado na capital do império. Ele disse à igreja da Galácia: "Eu trago no corpo as marcas de Jesus".[247] Falou de lutas por dentro e temores por fora. Falou de trabalhos, prisões, açoites, perigos de morte, fustigação com varas, apedrejamento, naufrágio, fome, sede, nudez, preocupação com todas as igrejas.[248]

O nosso sofrimento não é sinal de que estamos longe de Deus nem de que estamos fora da sua vontade. As pessoas que andaram mais perto de Deus foram aquelas que mais sofreram. Nosso sofrimento nesta vida deve ser contrabalançado com a recompensa da vida por vir. Paulo disse: "Tenho por certo que os sofrimentos do tempo presente não podem ser comparados com a glória a ser revelada em nós".[249] E ainda: "A nossa leve e momentânea tribulação produz para nós eterno peso de glória, acima de toda comparação".[250]

Não há pastorado sem luta. Não há ministério indolor. A carreira é sublime, a vocação é sacrossanta, mas as batalhas são renhidas. No ministério enfrentamos, à semelhança de Neemias, o governador de Jerusalém, inimigos de fora e inimigos de dentro, ataques externos e pressões internas.[251] No pastorado, algumas vezes, nos sentimos como Davi sendo acuado pelos próprios aliados.[252] Há pastores que estão com a alma enferma, com as emoções confusas, com os nervos à flor da pele por causa das enormes pressões enfrentadas no âmbito da liderança da igreja. O pastor, nessas horas, precisa ter a graça de Deus para não se desesperar nem transigir com os valores absolutos da palavra de Deus. O pastor não deve sofrer por coisas erradas, mas estar pronto a sofrer pelo Evangelho. Quando sofremos por uma causa nobre, fazemo-lo com alegria, ainda que as lágrimas grossas rolem pelo nosso rosto.[253]

A GRAÇA DEUS NOS CAPACITA A VIVER VITORIOSAMENTE APESAR DAS ADVERSIDADES

O pastorado não é um parque de diversões, mas um campo de lutas. Não é uma sala *VIP*, mas uma arena de combate. Não é uma estufa espiritual, mas um terreno juncado de espinhos. Paulo enfrentou tempos difíceis no pastorado. Vejamos:

Primeiro, *Paulo sofreu a dor da solidão* (2Timóteo 4:9,11,21). As pessoas precisam de Deus, mas também precisam das outras pessoas. Paulo pediu para Timóteo: 1) Procura vir ter comigo depressa;[254] 2) Toma contigo Marcos e traze-o;[255] 3) Apressa-te a vir antes do inverno.[256] O veterano apóstolo está em uma masmorra romana e precisa de um ombro amigo. Sua comunhão com Deus não o tornava um super-homem. Dentro do seu peito batia um coração sedento de relacionamento. Ele tinha pressa para estar face a face com seus irmãos. Paulo não sublimou sua humanidade. A solidão é uma das realidades mais dolorosas da vida pastoral. Há muitos obreiros solitários nos campos missionários. As igrejas enviam-lhes o sustento, mas os deixam como órfãos no campo. Precisamos pensar não apenas no estômago do pastor, mas também no coração. Ele não precisa apenas de coisas materiais; precisa de relacionamentos. O pastor é um ser solitário. Ele cuida de muitos e, muitas vezes, não é cuidado por ninguém. Ele escuta os gemidos dos outros, mas nem sempre encontra um ouvido solidário para ouvir suas angústias. O pastor precisa de amigos que tenham tempo, preparo, discrição e sensibilidade para ajudá-lo em suas necessidades.

Segundo, *Paulo sofreu a dor do abandono* (2Timóteo 4:10). Na hora em que Paulo mais precisou de ajuda foi abandonado e esquecido na prisão. Caminhou sozinho para o Getsêmani do seu martírio, assistido apenas pela graça de Deus. Diz ele: "Demas, tendo amado o presente século, me abandonou".[257] Na hora em que estamos sofrendo, precisamos de amigos por perto. O abandono não é uma experiência incomum na vida do pastor. Muitas vezes ele investe na vida de indivíduos, e estes os deixam na mão na hora mais crítica. Muitas vezes, ele semeia no campo alheio, e sua colheita é frustrada.

Terceiro, *Paulo sofreu a dor da ingratidão* (2Timóteo 4:16). Paulo diz: "Na minha primeira defesa, ninguém foi a meu favor; antes, todos me abandonaram".[258] Paulo deu sua vida pelos

Os sofrimentos do pastor

outros; agora, que precisa de ajuda, ninguém se arrisca por ele. De que Paulo devia estar sendo acusado? Possivelmente de ateísmo, uma vez que se recusava a adorar o imperador como Deus. Também os cristãos eram acusados de canibalismo, porque os crentes falavam em comer a carne e beber o sangue de Cristo quando celebravam a ceia do Senhor. Os crentes eram acusados de imorais por celebrarem a Festa do Ágape, a festa do amor. Os crentes eram acusados de infiéis, uma vez que não aceitavam o culto de um Estado absolutista. Paulo, especialmente, era o líder mundial dessa religião revolucionária. Pesavam sobre ele muitas acusações. Ele, que passara todo o seu ministério investindo na vida das pessoas, agora caminha sozinho para o seu julgamento.

Quarto, *Paulo sofreu a dor da perseguição* (2Timóteo 4:14). Paulo diz: "Alexandre, o latoeiro, causou-me muitos males; o Senhor lhe dará a paga segundo as suas obras".[259] Paulo sofreu duas prisões em Roma. A primeira delas foi provocada por uma razão religiosa. Os judeus o acusaram de perverter os costumes judaicos. A inveja suplantou a razão e de forma ensandecida eles se lançaram contra Paulo para condená-lo. Nessa primeira prisão, embora Paulo permanecesse algemado a um soldado romano constantemente, estava em liberdade condicional, uma vez que ficava preso em uma casa alugada e podia receber pessoas e ensinar abertamente a palavra. Dessa prisão Paulo saiu. Nesse ínterim, um fato político abalou as estruturas de Roma. No ano 64 d.C., o imperador Nero pôs fogo em Roma e depois acusou os cristãos de serem os incendiários. A partir daí começou uma perseguição implacável sobre os cristãos na cidade imperial. Foi nesse tempo que Paulo foi recapturado. Alexandre, o latoeiro, possivelmente, foi quem delatou Paulo, culminando na sua segunda prisão e consequente martírio. Ainda hoje, muitos pastores sofrem perseguição por causa da intolerância religiosa, da opressão política ou, até mesmo, das vaidades pessoais.

Quinto, *Paulo sofreu a dor da resistência* (2Timóteo 4:15). Paulo nos informa que Alexandre, o latoeiro, resistiu fortemente às suas palavras.[260] Ele era um opositor do ministério de Paulo. Não só perseguia o apóstolo, mas também se opunha ao evangelho. Alexandre, o latoeiro atacava a pessoa de Paulo e a mensagem de Paulo. Ele se posicionou contra o mensageiro e contra a mensagem. Os inimigos de Paulo conseguiram prendê-lo, mas jamais conseguiram abafar sua voz ou aprisionar a mensagem. Paulo estava preso, mas a palavra não estava algemada. O mensageiro pode tombar no campo da batalha, mas a causa de Cristo prossegue vitoriosa e sobranceira. É obra santa, ninguém a detém!

Sexto, *Paulo sofreu privações* (2Timóteo 4:13). Paulo pediu para Timóteo levar a sua capa, pois o inverno rigoroso estava chegando.[261] As prisões romanas eram frias, insalubres e escuras. Os prisioneiros morriam de lepra e de outras doenças contagiosas. O inverno se aproximava,[262] e Paulo precisava de uma capa quente para enfrentá-lo. Paulo também precisava dos livros e dos pergaminhos. Paulo estava na antessala do martírio, mas queria aprender mais, queria estudar mais, queria examinar mais os livros, os pergaminhos, a palavra de Deus. Paulo precisava de amigos, de roupa e de livros. Tinha necessidades físicas, mentais e espirituais. Precisava de provisão para a alma, a mente e o corpo.

Os sofrimentos do pastor

A GRAÇA DE DEUS NOS CAPACITA A TER OS VALORES DE VIDA MAIS EXCELENTES

Paulo fez uma avaliação equilibrada do presente, do passado e do futuro.

Primeiro, *uma avaliação correta do presente* (2Timóteo 4:6). Paulo olhou para a vida na perspectiva de Deus. Ele disse: Nero não vai me matar. Eu é que vou oferecer minha vida como um sacrifício a Jesus. Paulo comparou a sua vida a um sacrifício e a uma oferta. Paulo olhou também para a morte na perspectiva de Deus. Ele disse: "O tempo da minha partida é chegado".[263] A palavra grega *analysis*, "partida", tem um rico significado: 1) É a palavra que descreve a ação de desatar um animal do jugo. A morte é descanso do trabalho. A morte é deixar a carga, a fadiga.[264] 2) É a palavra que significa deixar soltos os laços ou as cadeias. A morte para Paulo era uma libertação e um alívio. Ele deixaria a escura prisão romana para entrar no paraíso. 3) É a palavra para afrouxar as estacas de uma tenda. Para Paulo, a morte é levantar acampamento, mudar de endereço, ir para a Casa do Pai. 4) É a palavra para soltar as cordas de um barco. Para Paulo, a morte equivale a singrar as águas do mar da vida e chegar ao porto divinal, nas praias da eternidade, onde não há choro, nem pranto, nem luto, nem morte. Morrer é estar com Cristo. Morrer é habitar com o Senhor. Morrer é ir para a Casa do Pai.

Segundo, *uma avaliação correta do passado* (2Timóteo 4:7). Muitas pessoas são como o personagem *Peer Gee* de Ibsen, descrito por John Mackay no seu livro *O sentido da vida*. Investem a vida toda naquilo que não tem nenhum valor eterno e chegam ao fim dizendo: "Minha vida foi como uma cebola, só casca". Paulo fez três afirmações importantes. 1) *Combati o bom combate*. Paulo olhou para a vida como um combate. Nada de facilidades. Nada de amenidades. É luta. É combate renhido. Luta contra o mal. Luta contra as trevas. Luta contra os principados e potestades. Luta contra o pecado. Luta pelo evangelho. Luta para salvar vidas da perdição. 2) *Completei a carreira*. Ele não carregou peso inútil nas costas, por isso chegou ao fim da carreira. Não se distraiu com coisas fúteis, por isso rompeu a linha de chegada. Correu de acordo com as regras e, por isso, foi coroado. Ele manteve seus olhos no alvo, não fracassou na corrida. Paulo disse: "Em nada considero a vida preciosa para mim mesmo contanto que complete a minha carreira".[265] Demas começou bem, mas desistiu no meio do caminho. Muitos pastores, depois de vitórias esplêndidas, tropeçam, caem e permanecem no chão. Há muitos obreiros machucados, feridos, prostrados e sem ânimo para prosseguir a carreira. 3) Guardei a fé. Paulo foi um soldado fiel ao seu Senhor até o fim. Muitos são como a mulher de Ló: olham para trás. Outros são como os israelitas: sentem saudades do Egito. Outros são como Demas: amam o presente século. Paulo se manteve firme!

Terceiro, *uma visão correta do futuro* (2Timóteo 4:8). Duas coisas nos chamam a atenção na palavra de Paulo. 1) Certeza da recompensa futura. Paulo tinha certeza da bem-aventurança eterna. Ele fala da coroa da justiça. O imperador Nero pode declará-lo culpado e condená-lo à morte, mas logo virá uma magnífica revogação do veredicto de Nero, quando o Senhor, reto juiz, declará-lo justo. Os mártires morreram cantando pela visão da glória: Estêvão disse: "Eu vejo o céu aberto e o Senhor de pé".[266] 2) Certeza da segunda vinda de Cristo. Cristo voltará. E com ele está o galardão. Com ele está a coroa. Nossa recompensa está no céu. Ela é certa e segura.

A GRAÇA DE DEUS NOS CAPACITA A RECEBER A ASSISTÊNCIA DO CÉU NA HORA DA MORTE (2TIMÓTEO 4:17,18)

Quatro fatos devem ser destacados:

Primeiro, Paulo foi *abandonado pelos homens, mas assistido por Deus* (2Timóteo 4:17). Paulo foi vítima de abandono dos homens, mas foi acolhido e assistido por Deus. Assim como Jesus foi assistido pelos anjos no Getsêmani quando os seus discípulos dormiram, Paulo também foi assistido por Deus na hora da sua dor mais profunda. Deus não nos livra do vale, mas caminha conosco no vale.[267] Deus não nos livra da fornalha, mas nos livra na fornalha.[268] Deus não nos livra da cova dos leões, mas nos livra na cova dos leões.[269] Às vezes, Deus nos livra da morte; outras vezes, Deus nos livra através da morte. Em toda e qualquer situação Deus é o nosso refúgio!

Segundo, *Deus não nos livra das provas, mas nos dá poder e forças para cumprirmos o nosso ministério mesmo nas provas* (2Timóteo 4:17). Deus revestiu Paulo de forças para que ele continuasse pregando a palavra. O vaso é de barro, mas a palavra é poderosa. Paulo foi preso, mas a palavra se espalhou por todos os gentios. O sangue dos mártires adubou o terreno para que a semente brotasse com mais vigor. As lutas e provas jamais destruíram o pastor ou a igreja. Ao contrário, a igreja torna-se mais santa, e os pastores, mais intrépidos na palavra.

Terceiro, *se Deus não nos livra da morte, ele nos livra na morte* (2Timóteo 4:18). Paulo não foi poupado da morte, mas foi libertado através da morte. A morte para ele não foi castigo, perda ou derrota, mas vitória. O aguilhão da morte já foi tirado. Morrer é lucro.[270] Morrer é precioso.[271] Morrer é bem-aventurança.[272] Morrer é ir para a Casa do Pai.[273] Morrer é entrar no céu e estar com Cristo.[274]

Quarto, *na hora do balanço final, Paulo expressa não um gesto de frustração, mas um tributo de glória ao seu Salvador* (2Timóteo 4:18b). Paulo foi perseguido, rejeitado, esquecido, apedrejado, fustigado com varas, preso, abandonado, condenado à morte, degolado, mas, em vez de fechar a cortina da vida com pessimismo, amargura, ressentimento, termina erguendo ao céu um tributo de louvor ao Senhor Jesus. Suas últimas palavras foram de exaltação ao seu Senhor.

Certo pastor foi visitar um crente em estado terminal. Perguntou-lhe: "Irmão, você está preparado para morrer?" Ele respondeu: "Não, eu estou preparado para viver. Estou preparado para ver Jesus. Estou preparado para entrar na Casa do Pai. Estou preparado para entrar no gozo do meu Senhor". Como você tem lidado com o sofrimento?

Capítulo 7

Os compromissos do pastor

Paulo estava despedindo-se dos presbíteros de Éfeso. Nesse encontro em Mileto houve beijos, abraços e lágrimas. Em apenas três anos foram cultivados relacionamentos profundos entre Paulo e aqueles líderes. Paulo chama esses líderes de presbíteros (Atos 20:17) e bispos (Atos 20:28) e emprega o verbo "pastorear" para descrever seu trabalho (Atos 20:28). Assim, na mente de Paulo, *presbítero*, *bispo* e *pastor* são termos correlatos. Não há hierarquia na igreja de Deus. Tantos os líderes quanto os liderados são servos de Cristo. No livro de Atos 20:17-38, Paulo aborda sete compromissos do pastor. Vamos aqui considerá-los.

O COMPROMISSO DO PASTOR COM DEUS (ATOS 20:19)

O primeiro compromisso do pastor não é com a obra de Deus, mas com o Deus da obra. Relacionamento com Deus precede trabalho para Deus. O primeiro chamado do pastor é para andar com Deus e, como resultado dessa caminhada, ele deve fazer a obra de Deus.

Em Atos 20:19, Paulo testemunha sobre como serviu a Deus com humildade e lágrimas por causa das ciladas dos judeus. Três fatos devem ser aqui destacados.

Primeiro, *o pastor está a serviço de Deus, e não dos homens.* Ele serve a Deus, ministrando aos homens. Quem serve a Deus não busca projeção pessoal. Quem serve a Deus não anda atrás de aplausos e condecorações. Quem serve a Deus não depende de elogios nem se desanima com as críticas. Quem serve a Deus não teme ameaças nem se intimida diante de perseguições. Quem teme a Deus não teme os homens, nem o mundo, nem mesmo o diabo. O pastor não pode vender sua consciência, mercadejar seu ministério nem compactuar com esquemas mundanos ou eclesiásticos para auferir vantagens imediatas. Judas vendeu a Jesus por dinheiro. Demas ficou cego pelos holofotes do mundo e abandou as fileiras daqueles que andavam em santidade. Muitos obreiros, de igual forma, são atraídos pela sedução do poder, do dinheiro e do prazer e perdem a honra, a família e o ministério. Precisamos ter claro em nosso coração a quem estamos servindo. Não servimos a interesses de pessoas ou de grupos. Não servimos àqueles que alimentam a síndrome de Diótrefes e pensam tolamente ser os donos da igreja. O pastor deve estar a serviço de Deus.

Segundo, *o pastor deve servir a Deus com profundo senso de humildade.* Muitos batem no peito, arrogantemente, dizendo que

Os compromissos do pastor

são servos de Deus. Outros, besuntados de orgulho, fazem propaganda de seu próprio trabalho. Outros servem a Deus, mas gostam dos holofotes. Há aqueles que fazem do serviço a Deus um palco onde se apresentam como os atores ilustres sob as luzes da ribalta. Um servo não busca glória para si mesmo. Fazer a obra de Deus sem humildade é construir um monumento para si mesmo. É levantar outra modalidade da Torre de Babel.

Terceiro, *o pastor não deve esperar facilidades pelo fato de estar servindo a Deus.* Quem serve a Deus com humildade e integridade desperta animosidade e muita hostilidade no arraial do inimigo. Paulo servia a Deus com lágrimas. A vida ministerial não lhe foi amena. Em vez de ganhar aplausos do mundo, recebeu ameaças, açoites e prisões. Paulo manteve sua consciência pura diante de Deus e dos homens, mas os judeus tramaram ciladas contra ele. Ele viveu em um campo minado. Enfrentou inimigos reais, porém às vezes ocultos. Nem sempre Deus nos poupa dos problemas. Às vezes, ele nos treina nos desertos mais tórridos e nos vales mais profundos e escuros.

O COMPROMISSO DO PASTOR CONSIGO MESMO (ATOS 20:18,28A)

O apóstolo Paulo, nos versículos 18 e 28a, mostra a necessidade de o pastor ter um sério compromisso consigo mesmo. Destacaremos alguns pontos.

Primeiro, *o pastor precisa cuidar de si mesmo antes de cuidar do rebanho de Deus.* A vida do pastor é a vida do seu pastorado. Há muitos obreiros cansados da obra e na obra, porque procuraram cuidar dos outros sem cuidar de si mesmos. Antes de pastorear os outros, precisamos pastorear a nós mesmos. Antes de exortar os outros, precisamos exortar a nós mesmos. Antes de confrontar os pecados dos outros, precisamos confrontar os nossos próprios pecados. O pastor não pode ser um homem inconsistente. Sua vida é a base de sustentação do seu ministério. O sermão da vida é o mais eloquente sermão pregado pelo pastor. O sermão mais difícil de ser pregado é aquele que pregamos para nós mesmos.

Segundo, *o pastor precisa cuidar de si mesmo para não praticar o que condena*. O ministério não é uma apólice de seguro contra o fracasso espiritual. Há um grande perigo de o pastor acostumar-se com o sagrado e perder de vista a necessidade de temer e tremer diante da palavra. Os filhos de Eli carregavam a Arca da Aliança com uma vida impura. A Arca não os livrou da tragédia. Há muitos pastores vivendo na prática de pecados e ainda mantendo a aparência. Há muitos pastores que saem dos esgotos da impureza, pois navegam no lamaçal de *sites* pornográficos para, depois, subir ao púlpito e exortar o povo à santidade. Essa atitude torna os pecados do pastor mais graves, mais hipócritas e mais danosos que os pecados das demais pessoas.

Terceiro, *o pastor precisa cuidar de si mesmo para não cair em descrédito*. Há pastores que perderam o ministério porque foram seduzidos pelos encantos do poder, embriagados pela sedução do dinheiro, e acabaram caindo nas teias da tentação sexual. Há pastores que causaram mais males com seus fracassos do que benefícios com seu trabalho. Se um pastor perder a credibilidade, perde também o seu ministério. A integridade do pastor é o fundamento sobre o qual ele constrói seu ministério. Sem vida íntegra não existe pastorado. Hoje, assistimos com tristeza a muitos pastores gananciosos que mercadejam a palavra e vendem sua consciência no mercado do lucro. Há obreiros que são rigorosos com os crentes, mas vivem de forma frouxa em sua vida pessoal. Há pastores que apascentam a si mesmos, e não o rebanho. Amam a sua própria glória, em vez de buscar a honra do Salvador.

O COMPROMISSO DO PASTOR COM A PALAVRA DE DEUS (ATOS 20:20-27)

Nos versículos 20 a 27, Paulo trata do compromisso do pastor com a palavra de Deus. Destacaremos alguns aspectos importantes.

Primeiro, *o pastor precisa anunciar todo o conselho de Deus* (v. 27). O pastor precisa pregar só a Bíblia e toda a Bíblia. Ele não pode aproximar-se das Escrituras com seletividade. Toda a Escritura é inspirada por Deus e útil para o ensino e correção. A única maneira de o pastor cumprir esse desiderato é pregar a palavra expositivamente. O pastor não prega suas próprias ideias, mas expõe a palavra. O pastor não faz a mensagem, apenas a transmite. A mensagem emana das Escrituras. Deus não tem nenhum compromisso com a palavra do pregador, apenas com sua palavra.

Segundo, *o pastor precisa pregar para a salvação*. O pastor prega arrependimento e fé (v. 21). Ele leva seus ouvintes a uma decisão.

Ele é evangelista. Prega para a salvação. Há muitos pastores que dizem não ter o dom de evangelista. Acostumam-se com um ministério burocrático, passando o tempo todo em um escritório, atrás de uma mesa, navegando muitas vezes nas águas turvas da Internet. Há pastores que perderam a paixão evangelística e não sabem mais o que é sentir as dores de parto. Precisamos de pastores que preguem sobre arrependimento e fé, de pastores que anunciem, com a alma em fogo e com lágrimas nos olhos, a mensagem da salvação que leva o pecador à conversão. Paulo disse para seu filho Timóteo cumprir cabalmente o seu ministério de evangelista.[275] Há uma frase muito conhecida no meio evangélico que diz: "Pastor não gera ovelha, ovelha é que gera ovelha". Essa frase é apenas parcialmente verdadeira. É verdade que ovelha gera ovelha, mas pastor também gera ovelha. Ou seja, pastor também é um ganhador de almas; ele também é um evangelista.

Terceiro, *o pastor precisa ensinar com fidelidade a palavra* (Atos 20:20). Paulo não apenas evangelizava, ele também ensinava. Não apenas gerava filhos espirituais, mas também os nutria com o alimento. O pastor é um discipulador. Ele deve mentorear as ovelhas de Cristo. O pastor é um mestre. A ele, cabe o privilégio de ensinar as verdades benditas do evangelho ao povo de Deus. O pastor deve afadigar-se na palavra.[276] Ele precisa cavar as insondáveis riquezas do evangelho de Cristo. O pastor é um estudioso e um erudito. A palavra do conhecimento deve estar em seus lábios para instruir o povo. Ele precisa ser um homem de alma sedenta para aprender e ter um coração ardente para ensinar. Quem cessa de aprender, cessa de ensinar. Quem se alimenta de migalhas não pode oferecer pão nutritivo para o povo. Muitos pastores oferecem ao povo uma sopa rala, em vez de alimento sólido, pois alimentam o povo da plenitude do seu coração e do vazio da sua cabeça. Outros ensinam doutrinas de homens, tradições humanas, em vez de ensinar a poderosa e eficaz palavra de Deus.

Quarto, *o pastor precisa ensinar tanto as multidões como os pequenos grupos* (Atos 20:20). Paulo ensinava de casa em casa e também publicamente. Há pastores que são loucos pelo frenesi da multidão, mas não se entusiasmam em falar para pequenos grupos. Há pregadores que só pregam para grandes auditórios. Sentem-se importantes demais para pregar em uma pequena congregação ou em uma reunião de grupo familiar. Esses indivíduos pensam que são mais importantes do que o apóstolo Paulo. O apóstolo pregava de casa em casa. Jesus pregou seus mais esplêndidos sermões para uma única pessoa. Quem não se dispõe a pregar para um pequeno grupo não está credenciado a pregar para um grande auditório. Nossa motivação não deve estar nas pessoas, mas em Deus.

O COMPROMISSO DO PASTOR COM O MINISTÉRIO (ATOS 20:24)

O apóstolo sintetiza o seu ministério em três verdades sublimes. Ele diz aos presbíteros de Éfeso: "Porém em nada considero a vida preciosa para mim mesmo, contanto que complete a minha carreira e o ministério que recebi do Senhor Jesus para testemunhar o evangelho da graça de Deus".[277] Destaquemos essas três verdades.

Primeiro, *vocação* (Atos 20:24). Paulo diz que recebeu o ministério do Senhor Jesus. Ele não se lançou no ministério por conta própria. Foi chamado, vocacionado e separado para esse trabalho. Não se tornou um pastor porque buscava vantagens pessoais. Não entrou para as lidas do ministério buscando segurança, emprego ou lucro financeiro. Não entrou no ministério com motivações erradas. O mesmo Senhor que apareceu para ele em glória no caminho de Damasco também o chamou, o separou, o capacitou e o revestiu de poder para exercer o ministério. É o senso de vocação que dá ao pastor forças nas horas difíceis. É a certeza do chamado divino que lhe dá direção em tempos tenebrosos. É a convicção de que é o Espírito Santo quem nos constitui bispos sobre o rebanho e que nos dá paz para continuar no trabalho, mesmo diante de circunstâncias adversas.

Segundo, *abnegação* (Atos 20:24). Paulo diz que não considerava a vida preciosa para ele mesmo desde que cumprisse o seu ministério. O coração de Paulo não estava nas vantagens auferidas do ministério. Não estava no ministério cobiçando prata ou ouro. Não estava em uma corrida desenfreada em busca de prestígio ou fama. Seu propósito não era ser aplaudido ou ganhar prestígio entre os homens. Na verdade ele estava pronto a trabalhar com suas próprias mãos para ser pastor. Estava pronto a sofrer toda sorte de perseguição e privação para pastorear. Estava disposto a ser preso, a sofrer ataques externos e temores internos para pastorear a igreja de Deus. Estava pronto a dar sua própria vida para cumprir cabalmente seu ministério.

Terceiro, *paixão* (Atos 20:24). A grande paixão de Paulo era testemunhar o evangelho da graça de Deus. A pregação enchia de entusiasmo o peito do velho apóstolo. Ele sabia que o evangelho é o poder de Deus para a salvação de todo o que crê. Ele sabia que a justiça de Deus se revela no evangelho. Ele sabia que a mensagem do evangelho de Cristo é a única porta aberta por Deus para a salvação do pecador. Paulo se considerava um arauto, um embaixador, um evangelista, um pregador, um ministro da reconciliação. Sua mente estava totalmente voltada para a pregação. Seu tempo era todo dedicado à pregação. Mesmo quando estava preso, entendia que a palavra não estava algemada.

O COMPROMISSO DO PASTOR COM A IGREJA (ATOS 20:28-32)

Nos versículos 28 a 32, Paulo fala sobre o compromisso do pastor com a igreja. Queremos destacar alguns pontos.

Primeiro, *o pastor deve cuidar de todo o rebanho, e não apenas das ovelhas mais dóceis* (Atos 20:28). Há ovelhas dóceis e indóceis. Há ovelhas que obedecem ao comando do pastor e ovelhas que se rebelam e fogem de debaixo do cajado do pastor. Há ovelhas que escoiceiam o pastor e aquelas que são o deleite do pastor. Há um grande perigo de o pastor cuidar apenas das ovelhas amáveis e deixar de lado as outras. A ordem divina é que o pastor deve cuidar de todo o rebanho, e não apenas de parte dele.

Segundo, *o pastor não é o dono, mas servo do rebanho* (Atos 20:28). A igreja é de Deus, e não do pastor. Jesus é o único dono da igreja. O Senhor nunca nos deu uma procuração para nos apossarmos da sua igreja. Na igreja de Deus não existem chefes, caudilhos e donos. Na igreja, todos nós somos nivelados no mesmo patamar, somos servos. Aqueles que se arvoram em donos da igreja e tratam-na como uma empresa particular, buscando abastecer-se das ovelhas, em vez de servi-las e pastoreá-las, estão em franca oposição ao propósito divino.

Terceiro, *o pastor não pode impor-se arbitrariamente como líder do rebanho* (Atos 20:28). O pastor precisa ter plena consciência de que foi o Espírito Santo quem o constituiu bispo para pastorear a igreja. Qualquer atitude de manobra humana ou política de bastidor para continuar à frente de uma igreja é uma conspiração contra o plano de Deus. O pastorado não deve ser imposto. O pastor não pode agir com truculência. Ele não é um ditador, mas um pai. Não é um explorador do rebanho, mas servo do rebanho. Há muitos pastores que constrangem as ovelhas e se impõem sobre elas com rigor despótico.[278] Há outros que orquestram vergonhosamente para permanecer no pastorado da igreja, fazendo acordos e conchavos pecaminosos. O pastor não deve aceitar o pastorado de uma igreja nem sair dela por conveniência, vantagens financeiras ou pressões. Ele precisa saber que, antes de ser pastor do rebanho, é servo de Cristo.

Quarto, *o pastor precisa compreender o valor da igreja aos olhos de Deus* (Atos 20:28). A igreja é a noiva do Cordeiro, a menina dos olhos de Deus. Ele a comprou com o sangue de Jesus. Tocar na igreja de Deus é ferir a noiva do Cordeiro. Deus tem zelo pelo seu povo. Perseguir a igreja é perseguir ao próprio Senhor da igreja. Quem fere o corpo atinge também a cabeça. Os pastores que tratam com rigor desmesurado as ovelhas de Cristo e dispersam o rebanho ou deixa de protegê-lo dos lobos vorazes estão desprezando a escrava resgatada, a amada do coração de Deus, a noiva do seu Filho bendito!

Quinto, *o pastor precisa proteger o rebanho dos ataques externos* (Atos 20:29). Paulo diz que existem lobos do lado de fora buscando uma oportunidade para entrar no meio do rebanho para devorar as ovelhas. O pastor deve ser o guardião e o protetor do rebanho. Como Davi, ele precisa declarar guerra aos ursos e leões, protegendo o rebanho de seus dentes assassinos. Há muitos falsos mestres com suas perniciosas heresias tentando entrar na igreja. O pastor precisa estar atento!

Sexto, *o pastor precisa proteger o rebanho dos ataques internos* (Atos 20:30). O perigo não vem apenas de fora, mas também de dentro. Há aqueles que se levantam no meio da igreja declarando coisas perniciosas e arrastando após si as ovelhas. Há lobos vestidos com peles de ovelhas dentro da igreja. Há falsos mestres enrustidos que buscam uma ocasião para se manifestar e provocar um estrago no arraial de Deus. O pastor precisa ser zeloso no ensino, não dando guarida nem oportunidade aos oportunistas que se infiltram no meio da igreja para disseminar suas heresias.

O COMPROMISSO DO PASTOR COM O DINHEIRO (ATOS 20:33-35)

Nos versículos 33 a 35 o apóstolo Paulo fala do compromisso do pastor com o dinheiro. Nessa matéria há dois extremos perigosos. O primeiro deles é o pastor trabalhar motivado pelo salário.

Há muitos pastores que aceitam o convite de uma nova igreja motivados puramente por um salário maior. A motivação para sair dessa para aquela igreja não é o amor a Deus e às ovelhas, mas o apego ao dinheiro. O segundo extremo perigoso é a igreja não pagar um salário digno ao pastor. Há igrejas que pecam contra o pastor não lhe dando um sustento digno. O trabalhador é digno do seu salário. Quem está no ministério deve viver do ministério. Muitas pessoas argumentam que Paulo trabalhava e pastoreava e que esse deveria ser o modelo para as igrejas contemporâneas. Mas o texto que estamos considerando não trata especificamente da questão do salário pastoral. Aqui, Paulo está apenas dando o seu testemunho. Em 1Coríntios 9, Paulo fala sobre a questão do salário pastoral. Lá ele é enfático ao mencionar que o pastor deve receber um salário digno. Se o pastor não deve ganancioso, por outro lado a igreja não deve ser avarenta.

A questão do dinheiro é uma área delicada e também um campo escorregadio, em que muitos obreiros têm caído. O dinheiro é uma bênção, mas o amor ao dinheiro é a raiz de todos os males.[279] O dinheiro é um bom servo, mas um péssimo patrão. O problema não é possuir o dinheiro, mas ser possuído por ele. O problema não é ter o dinheiro, mas o dinheiro nos ter. O problema não é guardar o dinheiro no bolso, mas armazená-lo no coração.

É impossível servir a Deus e ao dinheiro ao mesmo tempo. Se colocarmos nosso coração no dinheiro, acabaremos tirando nosso coração de Deus. O dinheiro é um deus, ele é Mamom. O dinheiro é o ídolo mais adorado em nossa geração. Por ele, muitas pessoas vivem, morrem e matam. Por causa dele, muitos se casam, divorciam-se ou deixam de se casar. Por amor a ele, muitos corrompem, e outros são corrompidos. Há aqueles que, à semelhança do jovem rico, preferem a riqueza à salvação da sua alma. Muitos obreiros, discípulos de Judas Iscariotes, vendem sua consciência, seu ministério e seu Senhor por míseras trinta moedas de prata.

Paulo tem algumas lições importantes a nos ensinar:

Primeiro, *o pastor é alguém que faz a obra não motivado pelo dinheiro* (Atos 20:33). Paulo não foi a Éfeso para cobiçar prata ou ouro das pessoas; foi levar a elas as riquezas espirituais. O dinheiro jamais foi o vetor do ministério de Paulo. Ele diz que não cobiçou dinheiro nem vestes. Sua alegria no ministério não era receber benefícios da igreja, mas dar sua vida pela igreja.

Segundo, *o pastor é alguém que se dedica à obra mesmo quando lhe falta o dinheiro* (Atos 20:34). Paulo trabalhou com suas próprias mãos para continuar o ministério. Ele não abandonou o ministério para trabalhar na fabricação de tendas nem jamais se empolgou com a fabricação de tentas a ponto de diminuir seu entusiasmo com o ministério. Quando as igrejas pagavam o que lhe era devido, Paulo se concentrava integralmente no ministério, mas, se as igrejas sonegavam seu salário, ele continuava exercendo o ministério, ainda que precisasse trabalhar para isso.

Terceiro, *o pastor é alguém que entende que mais feliz é aquele que dá dinheiro do que quem recebe dinheiro* (Atos 20:35). Paulo cita uma expressão de Jesus: "Mais bem-aventurado é dar do que receber". A visão do pastor não deve ser a de um homem egoísta e avarento. O pastor precisa ser um homem de coração generoso, mãos dadivosas e bolso aberto. Se o pastor não tiver o hábito de ajudar as pessoas, não ensinará seu rebanho a ser generoso. Se o pastor não contribuir com seu dízimo, seu povo será infiel. Se o pastor nunca der uma oferta, suas ovelhas não aprenderão a ofertar. O pastor é o exemplo do rebanho.

O COMPROMISSO DO PASTOR COM A AFETIVIDADE (ATOS 20:36-38)

Nos versículos 36 a 38, vemos o relato da despedida de Paulo dos presbíteros de Éfeso na praia de Mileto. Eles se abraçaram, beijaram-se e choraram em um lugar público. Paulo havia passado três anos em Éfeso, e esse tempo foi suficiente para eles formarem fortes elos de amizade. Agora, eles demonstram a intensidade desse afeto nessa despedida. Destacamos alguns pontos importantes aqui.

Primeiro, *nós somos seres afetivos* (Atos 20:37). O amor precisa ser verbalizado e demonstrado. Nossas emoções precisam refletir nosso amor. Os presbíteros de Éfeso abraçaram e beijaram a Paulo em uma praia, um lugar público. Eles não negaram, não camuflaram nem esconderam suas emoções. A mídia empapuçada de violência está minando as nossas emoções. Estamos ficando secos como um deserto. Não conseguimos mais chorar nem expressar nossas emoções. Uma senhora da igreja, depois do culto, disse-me entre lágrimas: "Pastor, eu valorizo muito o seu abraço na porta da igreja, porque é o único abraço que eu recebo na semana". Há momentos em que a maior necessidade de uma pessoa na igreja não é de ouvir o coral, mas de receber o abraço de um irmão.

Segundo, *nós precisamos demonstrar nosso afeto pelas pessoas que amamos* (Atos 20:37). Há muitos pastores que não conseguem expressar seus sentimentos nem verbalizar seu amor pelas ovelhas. São como Davi, que só conseguiu expressar seu amor por seu filho Absalão no dia que ele morreu. Há pastores que são como aqueles que só mandam flores para uma pessoa no seu funeral. Precisamos aprender a declarar o nosso amor pelas pessoas. Precisamos aprender a valorizar as pessoas enquanto elas estão conosco. Precisamos demonstrar nosso apreço por elas enquanto elas podem ouvir nossa voz. Eu estava pregando em um congresso de liderança e perguntei aos pastores qual tinha sido a última vez que eles haviam beijado seus presbíteros. Um pastor levantou a mão no fundo do auditório e disse: "Beijar eu não beijei nenhuma vez, mas, vontade de morder, eu já tive algumas vezes".

Terceiro, *nós precisamos entender a força terapêutica da afetividade* (Atos 20:36-38). O amor é o elo de perfeição que une as pessoas. O amor é cinturão que mantém unidas as demais peças da virtude cristã. Uma pessoa não permanece em uma igreja na qual ela não tem amigos. A comunhão e a evangelização são temas profundamente conectados. Onde há união entre os irmãos, é ali que Deus ordena sua bênção e a vida para sempre.[280] Certa feita, uma irmã da igreja me telefonou, informando-me que pretendia transferir-se para uma igreja mais próxima de sua casa. Eu carinhosamente lhe disse: "O problema é que você é tão importante para a nossa igreja que não podemos abrir mão de você". A mulher começou a chorar ao telefone e disse: "Pastor, na verdade, eu não queria ir para outra igreja. Era isso o que eu precisava ouvir. Muito obrigada", e desligou o telefone. As pessoas são carentes afetivamente, e os pastores precisam compreender que o amor verbalizado e demonstrado tem um grande poder terapêutico.

Capítulo 8

O salário do pastor

Como afirmamos no capítulo anterior, há dois extremos quanto à questão do salário do pastor. O primeiro deles é quando o pastor age como um mercenário e ama mais o dinheiro do que a Jesus e suas ovelhas. Aqueles que agem assim são pastores de si mesmos. Amam mais o lucro do que o ministério. Vivem para se servir das ovelhas, e não para servi-las. São exploradores do rebanho, e não pastores do rebanho. O segundo extremo é a negligência das igrejas em pagar um salário digno para seus pastores. Aqueles que se afadigam na palavra são dignos de redobrados honorários.[281] Há igrejas que deixam seus pastores passando privações e pensam que estão agradando a Deus com tal mesquinhez. O apóstolo Paulo trata de forma clara esse importante tema do salário pastoral. Acompanhemos seu ensino.

O salário pastoral é um dos grandes pomos de discórdias na igreja. Há pastores e famílias de pastores que carregam um peso

De pastor a pastor

no coração por não perceber que a igreja valoriza o seu trabalho e, portanto, não lhes dá um salário digno para viverem. Há igrejas que olham para seus pastores como se esses fossem exploradores e aproveitadores, e reclamam do salário que lhes pagam. Há pastores que não trabalham e querem o salário, e pastores que trabalham e não recebem um salário digno.

Há aqueles que pensam que os pastores não deveriam receber salário da igreja e deveriam fazer como Paulo, trabalhar com suas próprias mãos e, ainda assim, realizar a obra do ministério. Há ainda outros que defendem a tese de que todo pastor deveria ter o seu próprio emprego e, no tempo que sobra, dedicar-se ao ministério. Um exame mais detido das Escrituras nos revela que o pastorado só deve ser de tempo parcial quando o obreiro não tiver o sustento da igreja. O ministério é uma excelente obra[282] que exige o melhor e o mais intenso esforço do pastor.

Em 1Coríntios capítulo 9 Paulo traz à baila a questão do salário pastoral. Paulo ensinou sobre o seu próprio direito de receber o sustento financeiro da igreja. O sustento financeiro era direito seu e responsabilidade da igreja. Embora seja princípio claro das Escrituras que o trabalhador é digno do seu salário, Paulo abriu mão desse direito, por um propósito mais elevado.

Paulo apresenta dois argumentos em defesa da sua política sobre o sustento financeiro daqueles que trabalham na obra de Deus: o direito de receber sustento da igreja (1Coríntios 9:1-14) e o direito de recusar esse mesmo sustento (1Coríntios 9:15-27).[283]

O salário do pastor

Paulo defendeu o seu direito de receber suporte financeiro da igreja (9:1-14)

Paulo defendeu o direito do obreiro de ser sustentado pela igreja e o direito de recusar o suporte financeiro. Primeiro, ele construiu a base para dizer que é direito seu, que é legal e bíblico receber o salário da igreja. Depois, ele usou outro argumento, a liberdade e o direito de abrir mão desse sustento por uma causa maior.

Warren Wiersbe diz que, nos versículos 1 a 14, Paulo deu cinco argumentos para provar seu direito em receber o sustento financeiro da igreja de Corinto: seu apostolado (9:1-6), sua experiência (9:7), a lei do Antigo Testamento (9:8-12), o sacerdócio levítico (9:13) e o ensino de Jesus (9:14).[284] Vejamo-los:

Primeiro, seu apostolado (1Coríntios 9:1-6). O primeiro argumento que Paulo usou para defender o direito de receber o sustento financeiro foi o seu apostolado. O que estava acontecendo é que alguns crentes da igreja de Corinto questionavam a autenticidade do apostolado de Paulo. Alguns o consideravam um impostor. Paulo, a seguir, defende seu apostolado mostrando que ele era autêntico, e não espúrio. Paulo começa levantando a seguinte questão: Qual é a prova de um verdadeiro apóstolo? Para ser um apóstolo, uma pessoa precisava possuir duas credenciais: ter visto a Jesus[285] e realizar sinais.[286] Um apóstolo era uma testemunha da ressurreição de Cristo.[287]

Paulo tinha essas duas credenciais.[288] Ele viu o Jesus ressurreto na estrada de Damasco. Ele mesmo interroga a igreja de Corinto:

"Não vi Jesus nosso Senhor?" Sim, ele viu a Jesus no caminho de Damasco, o Cristo ressurreto.[289] Paulo era uma testemunha da ressurreição de Cristo.

Qual era a segunda credencial de um apóstolo? Um ministério recebido de Cristo e confirmado por sinais. O ensino de Paulo foi recebido de Cristo? Foi. Ele testemunha esse fato com clareza.[290] E sobre os sinais? Paulo poderia cumprir esse requisito de um verdadeiro apóstolo? Sim! Veja o seu testemunho: "Pois as credenciais do apostolado foram apresentadas no meio de vós, com toda a persistência, por sinais, prodígios e poderes miraculosos".[291] Paulo tinha todas as credenciais de um verdadeiro apóstolo. Ele era um apóstolo genuíno.

Paulo ainda argumenta que qualquer outra pessoa poderia questionar a genuinidade do seu apostolado, menos os membros da igreja de Corinto. Isso porque a conversão deles era uma prova da eficácia do seu ministério e o selo do seu apostolado.[292] Aqueles que estavam questionando a legitimidade do seu apostolado não deveriam questionar. Por quê? Por duas razões:

1) "Se não sou apóstolo para outrem, certamente, o sou para vós outros; porque vós sois o selo do meu apostolado no Senhor".[293] Ou seja, aquela igreja era filha do apóstolo Paulo. Ele gerou aqueles irmãos em Cristo Jesus. Paulo diz: "Ainda que vocês tenham tido muitos preceptores, tiveram um único pai".[294].

2) "Vocês são o selo do meu apostolado."[295] E o que é um selo? Alguma coisa que dá ao outro o direito de posse. Quando se marcava alguma coisa ou objeto com o selo, ninguém poderia violar aquele objeto; era propriedade exclusiva e inalienável do

dono. A igreja de Corinto tinha provas sobejas da legitimidade do apostolado de Paulo.

Paulo menciona dois direitos essenciais de um apóstolo.[296] Primeiro, o direito de casar-se e levar consigo uma esposa, de ser acompanhado de uma mulher irmã no ministério itinerante, como fizeram os demais apóstolos, os irmãos do Senhor e Cefas.[297] O segundo direito que ele tinha como apóstolo era o de não ter de trabalhar secularmente enquanto estivesse trabalhando na obra do ministério. Atentemos para o seu argumento: "A minha defesa perante os que me interpelam é esta: não temos nós o direito de comer e beber? [...] Ou somente eu e Barnabé não temos direito de deixar de trabalhar?".[298] Assim, um apóstolo tinha dois direitos: O direito de casar-se e o direito de ser sustentado pela igreja. Paulo, porém, abriu mão desses dois direitos. Ele nem se casou nem foi sustentado pela igreja de Corinto, antes trabalhou com suas próprias mãos para o seu sustento pessoal. Mas Paulo deixou claro o seu direito: "Se outros participam desse direito sobre vós, não o temos nós em maior medida? Entretanto, não usamos desse direito; antes, suportamos tudo, para não criarmos qualquer obstáculo ao evangelho de Cristo".[299]

Havia obreiros que eram sustentados pela igreja de Corinto, enquanto Paulo precisou trabalhar para o seu próprio sustento. Paulo não brigava por salário. Ele escreveu: "Eu, porém, não me tenho servido de nenhuma destas coisas e não escrevo isto para que assim se faça comigo...".[300] Em outras palavras, Paulo está dizendo: "Eu não usei o direito de ser sustentado nem estou escrevendo esta carta para que vocês me sustentem".

De pastor a pastor

Para arrematar o seu argumento, Paulo usa uma expressão extremamente forte: "... porque melhor me fora morrer, antes que alguém me anule esta glória".[301] Paulo não só trabalhou para seu sustento em Corinto, mas também em Tessalônica.[302] Assim escreveu o apóstolo: "Porque, vos recordais, irmãos, do nosso labor e fadiga; e de como, noite e dia labutando para não vivermos à custa de nenhum de vós, vos proclamamos o evangelho de Deus".[303] Era direito seu ser sustentado pelas igrejas, mas Paulo trabalhou também em Éfeso enquanto pastoreou aquela igreja três anos. Ouçamos seu testemunho: "De ninguém cobicei prata, nem ouro, nem vestes; vós mesmos sabeis que estas mãos serviram para o que me era necessário a mim e aos que estavam comigo".[304]

Direitos, direitos, direitos! Paulo tinha muitos direitos, mas não reclamava esses direitos. Paulo renunciou voluntariamente aos direitos que tinha de ser sustentado pela igreja por uma causa maior. Que causa maior era esta? Essa causa está muito claramente delineada nos versículos 12, 19 e 22. Diz o apóstolo: "Se outros participam desse direito sobre vós, não o temos nós em maior medida? Entretanto, não usamos desse direito; antes, suportamos tudo, para não criarmos qualquer obstáculo ao evangelho de Cristo".[305] A palavra "obstáculo" é uma fenda no solo, um obstáculo no caminho. Paulo não quer criar impedimento para o avanço do evangelho. Em seguida ele afirma: "Porque, sendo livre de todos, fiz-me escravo de todos, a fim de ganhar o maior número possível".[306] Seus objetivos eram claros: não criar obstáculo para o evangelho e ganhar o maior número possível de pessoas para Cristo. Paulo conclui seu argumento dizendo: "Fiz-me fraco para com os fracos, com o fim de ganhar os fracos. Fiz-me tudo para com todos, com o fim de, por todos os modos, salvar alguns".[307] O propósito dele em abrir mão dos seus direitos, incluindo o direito de ser sustentado pela igreja, era a salvação dos perdidos.

Segundo, *a experiência humana* (9:7). O segundo argumento que Paulo usa é o seguinte: "Quem jamais vai à guerra à sua própria custa? Quem planta uma vinha e não come do seu fruto? Ou quem apascenta um rebanho e não se alimenta do leite do rebanho?"[308] Paulo usa três metáforas comuns para descrever um ministro cristão. O ministro é um soldado, um agricultor e um pastor. E ele diz o seguinte: Que soldado vai à guerra às suas próprias custas? Qual é o agricultor que colhe o fruto da lavoura e não tem o direito de comer desse fruto? Qual é o pastor que cuida do rebanho e não se alimenta do leite desse rebanho? Paulo está usando a linguagem da experiência humana nessas três figuras para dizer que ele tinha o direito de receber o sustento da igreja. Ele usa também três figuras para a igreja. A igreja é como um exército, um campo e um rebanho. A lição era clara: o ministro cristão tem o direito de esperar os benefícios do seu labor. Se no âmbito secular isto é verdade, quanto mais no âmbito espiritual!

Terceiro, *a lei do Antigo Testamento* (9:8-12). O terceiro argumento que Paulo usa para reafirmar o direito de receber sustento da igreja é a lei do Antigo Testamento. Atentemos mais uma vez ao que o apóstolo escreve:

Porventura, falo isto como homem ou não o diz também a lei? Porque na lei de Moisés está escrito: Não atarás a boca ao boi, quando pisa o trigo. Acaso, é com bois que Deus se preocupa? Ou é, seguramente, por nós que ele o diz? Certo que é por nós que está escrito; pois o que lavra cumpre fazê-lo com esperança; o que pisa o trigo faça-o na esperança de receber a parte que lhe é devida. Se nós vos semeamos as coisas espirituais, será muito recolhermos de vós bens materiais? Se outros participam desse direito sobre vós, não o temos nós em maior medida?[309]

Era muito comum usar o boi para debulhar o trigo. E Deus proveu meios na sua palavra para cuidar até dos animais. Se o animal deve comer depois de trabalhar, quanto mais os seus obreiros! Como Deus é maravilhoso! Até dos animais ele cuida. Deus impediu que se atasse a boca do boi na hora em que estava trabalhando. Paulo pega esse princípio e aplica-o ao sustento pastoral. Paulo diz: Será que é com bois que Deus está preocupado? O princípio está na palavra não por causa de bois, mas por causa de seus servos. Paulo quer dizer que o obreiro que trabalha na obra de Deus tem o direito de ser sustentado pela obra. Corroborando com esse argumento, Paulo ainda escreve: "Devem ser considerados merecedores de dobrados honorários os presbíteros que presidem bem, com especialidade os que se afadigam na palavra e no ensino. Pois a Escritura declara: Não amordaces o boi, quando pisa o grão. E ainda: O trabalhador é digno do seu salário".[310] A lógica do apóstolo é a seguinte: "Se nós vos semeamos as coisas espirituais, será muito recolhermos de vós bens materiais?".[311]

Isso pode ser ilustrado com a experiência do povo judeu. Assim como os judeus semearam bênçãos espirituais na vida dos gentios, os gentios, agora, deveriam retribuir aos judeus as bênçãos materiais. Escutemos mais uma vez o apóstolo Paulo: "Porque aprouve à Macedônia e à Acaia levantar uma coleta em benefício dos pobres dentre os santos que vivem em Jerusalém. Isto lhes pareceu bem, e mesmo lhes são devedores; porque, se os gentios têm sido participantes dos valores espirituais dos judeus, devem também servi-los com bens materiais".[312] Esse é o princípio que Paulo está trabalhando, e ele o repete na carta aos Gálatas: "Mas aquele que está sendo instruído na palavra faça participante de todas as coisas boas aquele que o instrui".[313]

Paulo recebeu suporte financeiro de outras igrejas para poder servir a igreja de Corinto.[314] Na própria igreja de Corinto, outros obreiros receberam suporte financeiro,[315] enquanto Paulo abriu mão desse direito para não criar obstáculo ao evangelho.[316] A linguagem que Paulo usou para os crentes de Corinto foi forte: "Despojei outras igrejas, recebendo salário, para vos poder servir, e, estando entre vós, ao passar privações, não me fiz pesado a ninguém; pois os irmãos, quando vieram da Macedônia, supriram o que me faltava; e, em tudo, me guardei e me guardarei de vos ser pesado".[317] Paulo chegou a passar privações enquanto pastoreou a igreja de Corinto, mas mesmo nessas circunstâncias adversas não exigiu os seus direitos. A igreja de Corinto não foi inocentada pela sua omissão. Paulo deixou isso bem claro:

> Tenho-me tornado insensato; a isto me constrangestes. Eu
> devia ter sido louvado por vós; porquanto em nada fui inferior

a esses tais apóstolos, ainda que nada sou. Pois as credenciais do apostolado foram apresentadas no meio de vós, com toda a persistência, por sinais, prodígios e poderes miraculosos. Porque, em que tendes vós sido inferiores às demais igrejas, senão neste fato de não vos ter sido pesado? Perdoai-me esta injustiça.[318]

Quarto, *a prática do Antigo Testamento* (9:13). Paulo cita outro exemplo para legitimar o seu direito de receber sustento da igreja. O argumento agora está fundamentado na prática do Antigo Testamento. "Não sabeis vós que os que prestam serviços sagrados do próprio templo se alimentam? E quem serve ao altar do altar tira o seu sustento?"[319]

Se você ler atentamente 1Coríntios 9, notará que quase todo ele está em forma de perguntas. Imagino Paulo como um orador no tribunal, defendendo a sua causa. Ele faz perguntas retóricas. Ele recorda o sacerdote e o levita, no Antigo Testamento, que cuidavam do templo, do ministério e do altar. Quando alguém trazia a oferta, o dízimo e o sacrifício, o levita e o sacerdote recebiam para o seu sustento as primícias de tudo aquilo que era trazido à casa de Deus. Os sacerdotes e os levitas recebiam o sustento financeiro dos sacrifícios e ofertas trazidos ao templo. A regulamentação que governava a parte deles nas ofertas e nos dízimos está em Números 18:8-32; Levítico 6:14–7:36; Levítico 27:6-33. A aplicação feita pelo apóstolo Paulo é clara: se os ministros do Antigo Testamento, que estavam sob a lei, recebiam sustento financeiro do povo a quem eles ministravam, não deveriam os ministros de Deus, no Novo Testamento, sob a graça, receberem também suporte financeiro?

Quinto, *o ensino de Jesus* (9:14). O último argumento que Paulo usa é provavelmente o mais forte, pois se trata de uma palavra do próprio Senhor Jesus: "Assim ordenou também o Senhor aos que pregam o evangelho que vivam do evangelho".[320] Talvez Paulo esteja citando o que Jesus mencionou em Mateus 10:10 e Lucas 10:7: "O trabalhador é digno do seu salário". Paulo diz que esse princípio é fundamental e que a igreja não o pode negligenciar. Esta não é uma ordem qualquer, mas um mandamento direto do Senhor Jesus. Aquele que trabalha no ministério deve viver do ministério. A ordem é revestida da mais alta autoridade, visto que veio de Cristo. Dessa maneira, Paulo fecha o seu argumento dizendo que receber sustento da igreja era um direito legítimo e bíblico que lhe pertencia como apóstolo.

Muito embora o pastor não seja um apóstolo, uma vez que não temos mais apóstolos hoje, os princípios divinos para o seu sustento são os mesmos. O pastor que vive no ministério deve viver do ministério. As igrejas que recebem benefícios espirituais dos pastores devem dar-lhes sustento financeiro.

PAULO DEFENDEU SEU DIREITO DE RECUSAR
O SUPORTE FINANCEIRO DA IGREJA (9:15-27)

Paulo tinha o direito de receber suporte financeiro da igreja, mas, sendo um cristão maduro, desistiu de seus direitos. Quais

De pastor a pastor

foram os motivos levantados por Paulo que o levaram a abrir mão dos seus direitos? Warren Wiersbe nomeia três motivos: amor ao evangelho (9:15-18), amor aos pecadores (9:19-23) e amor a si mesmo (9:24-27).[321]

Primeiro, *ele recusou o suporte financeiro da igreja por amor ao evangelho* (9:15-18). O apóstolo Paulo constrói seu argumento com as seguintes palavras:

> Eu, porém, não me tenho servido de nenhuma destas coisas e não escrevo isto para que assim se faça comigo; porque melhor me fora morrer, antes que alguém me anule esta glória. Se anuncio o evangelho, não tenho de que me gloriar, pois sobre mim pesa essa obrigação; porque ai de mim se não pregar o evangelho! Se o faço de livre vontade, tenho galardão; mas, se constrangido, é, então, a responsabilidade de despenseiro que me está confiada. Nesse caso, qual é o meu galardão? É que, evangelizando, proponha, de graça, o evangelho, para não me valer do direito que ele me dá.[322]

Paulo não deseja ser um obstáculo ao evangelho.[323] Ele não vê o ministério como uma fonte de lucro nem o evangelho como um produto de mercado. Paulo não era um mercador do evangelho.[324] Ele não se servia do evangelho; servia ao evangelho. Não estava no ministério para locupletar-se, mas para gastar-se em favor das almas. Paulo não via a igreja como um balcão de negócio. A igreja, para o veterano apóstolo, não era uma empresa familiar. Paulo não era o dono da igreja. Há líderes, hoje, que

O salário do pastor

fazem da igreja uma empresa particular, em que o evangelho é um produto; o púlpito, um balcão; o templo, uma praça de negócios; e os crentes, consumidores. Há pastores que embolsam todo o dinheiro arrecadado na igreja para fins pessoais e se tornam grandes empreendedores, acumulando fortunas e vivendo no fausto. Há muitos pregadores inescrupulosos que enriquecem em nome do evangelho. Paulo tinha um comportamento diferente. Ele se recusou a aceitar dinheiro daqueles para quem ministrava. Queria que o evangelho estivesse livre de qualquer obstáculo para avançar.

Paulo não escreve essa carta para pedir suporte financeiro à igreja.[325] Ele chega a dizer que preferia morrer a ter de fazer isso. A recompensa de Paulo não era financeira. Sua alegria era pregar o evangelho. Ele diz: "... sobre mim pesa essa obrigação; porque ai de mim se não pregar o evangelho!".[326] É lamentável que haja hoje tantas igrejas que parecem mais uma empresa financeira do que uma agência do reino de Deus; que haja tantos pastores com motivações duvidosas no ministério; que haja tantas pessoas enganadas, abastecendo a ganância insaciável de líderes avarentos e inescrupulosos. É triste ver que as indulgências da Idade Média estejam ressurgindo com roupagens novas dentro de algumas igrejas chamadas evangélicas. A salvação é vendida e comercializada. A religião é usada como um instrumento de exploração dos incautos e para o enriquecimento dos inescrupulosos.

Segundo, *Paulo recusou o suporte financeiro da igreja por amor aos pecadores* (9:19-23). Paulo dá o seu testemunho:

De pastor a pastor

Porque, sendo livre de todos, fiz-me escravo de todos, a fim de ganhar o maior número possível [...]. Aos sem lei, como se eu mesmo o fosse, não estando sem lei para com Deus, mas debaixo da lei de Cristo, para ganhar os que vivem fora do regime da lei. Fiz-me fraco para com os fracos, com o fim de ganhar os fracos. Fiz-me tudo para com todos, com o fim de, por todos os modos, salvar alguns. Tudo faço por causa do evangelho, com o fim de me tornar cooperador com ele.[327]

Paulo não estava preso a ninguém, mas voluntariamente se fez escravo de todos. Com que propósito? A fim de ganhar o maior número possível de almas. Livre de todos os homens e ainda servo de todos os homens.[328] Por Paulo ser livre, ele estava capacitado a servir aos outros e a renunciar aos seus próprios direitos por amor a eles.

Muitos críticos julgam equivocadamente a atitude de Paulo, pensando ser ele camaleônico, mudando suas atitudes e mensagem a cada nova situação. Não é isso o que Paulo ensina. Paulo não fala de vida dupla. O que ele defende é a maleabilidade, flexibilidade e adaptabilidade metodológica para apresentar o evangelho em diversos contextos. William Barclay, corroborando essa ideia, diz que Paulo não estava adotando uma personalidade hipócrita, de duas caras, sendo uma coisa para uns, e outra para outros.[329]

Paulo não apoia a ideia de ajustar a mensagem para agradar ao auditório. Paulo era um embaixador, e não um político populista. Ele, porém, ensinava que precisamos ser sensíveis à cultura das

O salário do pastor

pessoas a quem pregamos, a fim de não criarmos obstáculo ao progresso do evangelho. Há dois perigos quanto à evangelização: o primeiro é mudar a mensagem; o segundo é engessar os métodos. Paulo variou seus métodos para alcançar os melhores resultados. Quando ele pregava para os judeus, normalmente começava o seu sermão com os patriarcas, vinculando as boas novas do evangelho com a história do povo judeu. No entanto, quando pregava aos gentios, ele tinha outra abordagem. Quando estava no Areópago, falando para os gregos, ele começou com o Deus da criação. Isso é sensibilidade e sabedoria. Ele não adulterou o conteúdo do evangelho, mas o apresentou de forma adequada aos seus ouvintes. O pregador precisa conhecer o texto e o contexto. Precisa conhecer a palavra e as pessoas para quem prega.

Jesus também adotou um método flexível em suas abordagens. Para Nicodemos, um doutor da lei, Jesus disse: "Você precisa nascer de novo". Para a mulher samaritana, proscrita da sociedade, e que se sentia escorraçada, Jesus pede um favor: "Dá-me de beber". Para Zaqueu, um publicano odiado, Jesus disse: "Eu quero ir para a sua casa hoje". Para um paralítico desanimado, Jesus perguntou: "Você quer ser curado?" Jesus tinha abordagens diferentes para pessoas diferentes. Ele nunca mudou a mensagem, mas sempre variou os métodos.

O grande propósito da flexibilidade metodológica de Paulo era a salvação dos judeus, dos gentios e do maior número de pessoas.[330] Uma abordagem flexível constrói pontes em vez de erguer muros. A sensibilidade cultural abre caminho para a evangelização eficaz.

Terceiro, *Paulo recusou o suporte financeiro da igreja por amor a si mesmo* (9:24-27). Vejamos suas palavras:

> Não sabeis vós que os que correm no estádio, todos, na verdade, correm, mas um só leva o prêmio? Correi de tal maneira que o alcanceis. Todo atleta em tudo se domina; aqueles, para alcançar uma coroa corruptível; nós, porém, a incorruptível. Assim corro também eu, não sem meta; assim luto, não como desferindo golpes no ar. Mas esmurro o meu corpo e o reduzo à escravidão, para que, tendo pregado a outros, não venha eu mesmo a ser desqualificado.[331]

Por que Paulo usa essa figura? Corinto era uma das cidades mais importantes do mundo antigo na área dos esportes. Afora os jogos olímpicos de Atenas, os jogos ístmicos eram os mais importantes do planeta naquela época. Paulo usa, agora, a figura do atleta. Ele se compara como um corredor e um lutador. Paulo diz que o alvo do atleta é vencer. O ministro é um atleta, cujo alvo é vencer!

Paulo ensina quatro lições práticas para concluir.[332]

1) A vida cristã é um campo de batalha, e não uma colônia de férias. É uma luta renhida e sem trégua. Você entra nessa luta como um boxeador, como alguém que travará uma batalha de vida ou morte. A palavra "luta", no grego, traz a ideia de agonia. Trata-se de uma luta agônica. Um atleta mal treinado não pode ganhar a corrida nem a luta.

2) A vitória na luta exige grande disciplina. Um atleta sem disciplina jamais será um vencedor. O que é disciplina?

Um atleta, por exemplo, abdica de coisas boas por causa das coisas melhores. De que maneira? Ele tem de cuidar da sua dieta! Quando alguém chega para um atleta com algumas guloseimas saborosas, por amor ao seu propósito de vencer, esse atleta se dispõe a abrir mão dessas iguarias. Essas coisas podem ser boas, mas interferem no seu alvo maior. Assim, essas coisas tornam-se impedimento para o cumprimento de seu alvo. Então, ele abre mão de um direito que tem, de uma coisa boa em si mesma, por algo melhor. Um atleta indisciplinado é desclassificado e se torna inapto para a luta.

O atleta também precisa correr de acordo com as normas. Não adianta vencer; é preciso fazê-lo de acordo com os princípios estabelecidos. Deus requer do atleta não apenas desempenho, mas também fidelidade. Só o atleta que corre e luta segundo as normas pode ter uma vitória legítima e ser coroado.

3) O atleta precisa concentrar-se na sua meta. Um corredor não fica olhando para trás ou para os lados, jogando beijos para a torcida que está nas arquibancadas. Ele mira o alvo e corre na direção do alvo. Ele não pode depender do aplauso do público nem se intimar com suas vaias. Ele precisa fixar-se obsessivamente no alvo e avançar com determinação. Paulo diz que nós estamos em uma pista de corrida e não podemos ser distraídos por nada. E qual é a nossa meta? Glorificar a Deus ganhando o máximo de pessoas para o evangelho! Paulo diz: "Eu faço tudo para ganhar o máximo de pessoas para Jesus. Eu abro mão dos meus direitos quando se trata de promover o evangelho".

De pastor a pastor

4) Só podemos ganhar outros se dominarmos a nós mesmos. Paulo diz: "Esmurro o meu próprio corpo".[333] Paulo tratava seu corpo com severidade, para não ser desqualificado. Paulo não está falando de perder a salvação, mas de perder o prêmio; está falando na possibilidade de chegar ao final da corrida e não agradar ao seu Senhor.[334] Agora, se um atleta treina e corre à exaustão para receber uma medalha perecível, quanto mais nós devemos exercitar a disciplina para receber a coroa incorruptível.

Para alcançarmos o alvo de glorificar a Deus, levando aos pés de Jesus o maior número de pessoas, vale a pena todo esforço e disciplina. Precisamos sacrificar ganhos imediatos por recompensas eternas, prazeres imediatos por alegrias eternas.

Enfim, o apóstolo Paulo está dizendo o seguinte: "Meus irmãos, estou abrindo mão dos meus direitos por amor a mim mesmo. Não quero ser desqualificado". Como é triste ver tantas pessoas desqualificadas no meio da corrida, no meio do ministério, por causa da ganância.

O que é liberdade cristã? A liberdade cristã se manifesta de forma madura quando você tem direitos legítimos, mas, por amor aos outros, abre mão desses direitos. No dicionário do cristão, o *outro* vem na frente do *eu*. Na ética cristã, o amor prevalece sobre o próprio conhecimento. Paulo ensina e demonstra; e ele demonstra com a própria vida.

Os pastores devem trabalhar no ministério sem visar o lucro, e as igrejas devem sustentar os seus pastores com generosidade e alegria. Caso as igrejas sejam infiéis, não pagando dignamente seus pastores, eles devem trabalhar para seu próprio sustento, sem

O salário do pastor

jamais perderem de vista a obra de Deus. É legítimo um pastor assumir um novo pastorado quando tem convicção do chamado de Deus para uma nova igreja, mas se constitui erro grave um pastor mudar de igreja motivado apenas pelo salário mais alto. O lucro não pode ser o vetor que governa o nosso ministério. Devemos, enfim, entender que a nossa verdadeira recompensa não é financeira, e essa recompensa não é recebida plenamente aqui. Os servos fiéis um dia ouvirão do Senhor da Igreja: "Muito bem, servo bom e fiel. Foste fiel no pouco, sobre o muito te colocarei".[335]

Notas

[1] Mateus 7:21-23.

[2] João 3.3,5.

[3] 1Timóteo 3:1.

[4] 1Timóteo 5:17.

[5] Atos 20:29,30.

[6] 1Timóteo 3:1.

[7] Ezequiel 34:1-6.

[8] 2Coríntios 2:17.

[9] 2Timóteo 1:7.

[10] Mateus 14:26.

[11] Mateus 25:24-27.

[12] CROESCHEL, Craig. *Confissões de um pastor.* São Paulo: Vida, 2006, p. 168,169.

[13] CROESCHEL, Craig. *Confissões de um pastor*, p. 170.

[14] Jeremias 23:28-32.

[15] Jeremias 23:32.

[16] Atos 20:29.

[17] 1Pedro 5:1-4.

[18] 1Pedro 5:3.

De pastor a pastor

[19] 3João 9-11.
[20] 1Timóteo 3:4,5.
[21] 1Samuel 2:12-17,22-36.
[22] 1Timóteo 3:7.
[23] 1Timóteo 6:6.
[24] 1Samuel 1,2. 2:12-26.
[25] 1Samuel 4:1-22.
[26] SILVA, Jopencil M. *Cuidado com as tentações do ministério*. Governador Valadares: Design, 2007, p. 19,20.
[27] GROESCHEL, Craig. *Confissões de um pastor*, p. 48.
[28] GROESCHEL, Craig. *Confissões de um pastor*, p. 48,49.
[29] Joel 2:17.
[30] Atos 20:24.
[31] Atos 26:19.
[32] 1Coríntios 4:9.
[33] Jeremias 1:6.
[34] Jonas 1:2; 3:1,2.
[35] Efésios 4:11.
[36] 1Pedro 5:1-4.
[37] Atos 20:24.
[38] 1Timóteo 3:1.
[39] Consulte o livro deste mesmo autor, *Morte na Panela*, editado pela Editora Hagnos, em 2007, que trata especificamente dessa matéria.
[40] Mateus 13:24,25.
[41] Atos 20:29,30.
[42] Mateus 12:20.
[43] 1Coríntios 4:14-21.
[44] 1Tessalonicenses 2:7.
[45] 1Timóteo 5:17.
[46] 1Coríntios 4:1-3.
[47] 1Crônicas 12:32.
[48] 1Tessalonicenses 2:7-12.
[49] Tiago 5:17.
[50] Obadias 3.

Notas

[51] 1Reis 17:1.
[52] Tiago 5:17; 1Reis 19:1-3.
[53] 1Reis 18:10.
[54] 1Reis 17:14-16.
[55] Mateus 12:20.
[56] 1Reis 17:19.
[57] 1Reis 17:24.
[58] Jeremias 15:19.
[59] 2Reis 4:31.
[60] 1Reis 18:1.
[61] 1Reis 18:41-46.
[62] 1Reis 18:18,19.
[63] 1Reis 18:21.
[64] 1Reis 18:22-40.
[65] 1Reis 18:30.
[66] Isaías 1:15.
[67] Amós 5:23.
[68] Malaquias 1:10
[69] 1Reis 17:6.
[70] 1Reis 17:16.
[71] 1Reis 17:21,22.
[72] 1Reis 18:38.
[73] 1Reis 18:45.
[74] 1Reis 18:39.
[75] 1Reis 19:1-4.
[76] Tiago 5:17.
[77] 1Reis 19:2,3.
[78] 1Reis 19:3b.
[79] 1Reis 19:4,9.
[80] 1Reis 19:4,5.
[81] 1Reis 19:5
[82] 1Reis 19:6.
[83] 1Reis 19:9.
[84] 1Reis 19:15-21.

De pastor a pastor

[85] 1Tessalonicenses 4:13-18.

[86] 2Reis 2:9.

[87] 2Reis 2:14.

[88] STOTT, John R. W. *I Believe in Preaching: The Preacher as a Person.* London, Great Britain: Hodder and Stoughton, 1982, p. 265.

[89] SHAW, John. *The Character of a Pastor According to God's Heart Considered.* Morgan, Pennsylvania: Soli Deo Gloria Publications, 1998, p. 6.

[90] BOUNDS, E. M. "Power Through Prayer", em *E. M. Bounds on Prayer.* New Kensington, Pennsylvania: Whitaker House, 1997, p. 499.

[91] MARTIN, A. N. *What's Wrong With Preaching Today?* Edinburgh, Pennsylvania: The Banner of Truth Trust, 1992, p. 6.

[92] DABNEY, R. L. *Evangelical Eloquence: A Course of Lectures on Preaching.* Pennsylvania: The Banner of the Truth Trust, 1999, p. 40.

[93] SPURGEON, Charles Haddon. *Um ministério ideal,* Vol. 2. São Paulo: PES, 1990, p. 65.

[94] SHAW, John. *The Character of a Pastor According to God's Heart Considered,* p. 5-6.

[95] Romanos 2:21-24.

[96] THIELICKE, Helmut. *Encounter With Spurgeon.* Philadelphia: Fortress Press, 1963, p. 116.

[97] EBY, David. *Power Preaching for Church Growth.* La Habra, California: Mentor Publications, 1998, p. 11.

[98] BOUNDS, E. M. "Power Through Prayer", p. 474.

[99] BOUNDS, E. M. "Power Through Prayer", p. 476.

[100] MARTIN, A. N. *What's Wrong With Preaching Today?,* p. 8.

[101] BOUNDS, E. M. *"Power Through Prayer",* p. 468-69.

[102] LLOYD-JONES, Martyn. *Preaching & Preachers.* Grand Rapids, Michigan: Zondervan Publishing House, 1971, p. 86.

[103] BONAR, Andrew. *Memoirs of McCheyne.* Chicago, Illinois: Moody Press, 1978, p. 95.

[104] BOUNDS, E. M. *"Power Through Prayer",* p. 481.

Notas

[105] Spurgeon, Charles Haddon. *Gems from Spurgeon*, ed. James Alexander Stewart. Ashville, North Caroline: Revival Literature, 1966, p. 10.

[106] Lloyd-Jones, Martyn. *Preaching & Preachers*, p. 97.

[107] Bounds, E. M. *"Power Through Prayer"*, p. 469.

[108] Thielicke, Helmut. *Encounter With Spurgeon*, p. 117.

[109] Azurdia, Arturo G. *Spirit Empowered Preaching: Involving the Holy Spirit in Your Ministry.* Fearn, Great Britain: Mentor, 1998, p. 139.

[110] Bounds, E. M. *"Purpose in Prayer"*, p. 57.

[111] Larsen, David. *The Anatomy of Preaching: Identifying the Issues in Preaching Today.* Grand Rapids, Michigan: Baker Book House, 1989, p. 53-54.

[112] Isaías 62:6,7.

[113] Hybels, Bill. *Too Busy not to Pray.* Downers Grove, Illinois: InterVarsity Press, 1998, p. 13.

[114] Romanos 15:30.

[115] Eby, David. *Power Preaching for Church Growth*, p. 43.

[116] Martin, A. N. *What's Wrong With Preaching Today?*, p. 11-14.

[117] Hulse, Errol. *Give Him No Rest.* Darling, England: Evangelical Press. 1991, p. 85

[118] Bounds, E. M. "Purpose in Prayer", p. 486.

[119] Larsen, David. *The Anatomy of Preaching: Identifying the Issues in Preaching Today*, p. 53.

[120] Bounds, E. M.. *"Purpose in Prayer"*, p. 467.

[121] Bounds, E. M.. *"Purpose in Prayer"*, p. 468.

[122] Eby, David. *"Power Preaching for Churck Growth"*, p. 44.

[123] Rosscup, James E. 1992, p. 84.

[124] Larsen, David. *The Anatomy of Preaching: Identifying the Issues in Preaching Today*, p. 55.

[125] Martin, Roger. *R. A. Torrey, Apostle of Certainty.* Murfreesboro, Tennessee: Sword of the Lord, 1976, p. 166.

[126] Vines, Jerry. *A Practical Guide To Sermon Preparation.* Chicago, Illinois, Moody Press. 1985, p. 47

[127] MacArthur, Jonh Jr. *Rediscovering Expository Preaching.* Dallas, Texas: Wordly Publishing. 1992, p. 209

128 PARKER, T. H. L. *Calvin's Preaching*. Louisville, Kentucky: Westminster John Knox Press, 1992, p. 37.

129 SPURGEON, Charles Haddon. *An All-Round Ministry: A Collection of Addresses to Ministers and Students*. London: Banner of Truth Trust, 1960, p. 236.

130 KOLLER, Charles. *How to Preach Without Notes*. Grand Rapids, Michigan: Baker Book House, 2001, p. 44

131 VINES, Jerry. *A Practical Guide to Sermon Preparation*. Chicago, Illinois, Moody Press. 1985, p. 51.

132 2 Timóteo 2:15.

133 KOLLER, Charles. *How to Preach Without Notes*, p. 45.

134 PIPER, John. *The Supremacy of God in Preaching*. Grand Rapids, Michigan: Baker Book House, 1990, p. 42; STOTT, John. *Between Two Words – The Art of Preaching in the Twentieth Century*. Grand Rapids, Michigan: William Eerdmans Publishing Company, 1999, p. 32.

135 PIPER, John. *The Supremacy of God in Preaching*, p. 43.

136 PIPER, John. *The Supremacy of God in Preaching*, p. 201.

137 CRISWELL, W. A. *Criswell's Guidebook for Pastors*. Nashville, Tennessee: Broadman Press, 1980, p. 64.

138 CRISWELL, W. A. *Criswell's Guidebook for Pastors*, p. 64-65.

139 CRISWELL, W. A. *Criswell's Guidebook for Pastors*, p. 66.

140 ADAMS, Jay. "Editorial: Good Preaching is Hard Work", em *The Journal of Pastoral Practice* (4, number 2), 1980, p. 1.

141 EBY, David. *Power Preaching for Church Growth*, p. 11.

142 VINES, Jerry, 1985, p. 51.

143 FRAME, John M. *Worship in Spirit and Truth: A Refreshing Study of the Principles and Practice of Biblical Worship*. Phillipsburg, New Jersey: P&R Publishing, 1996, p. 92.

144 STOTT, John. *Between Two Words – The Art of Preaching in the Twentieth Century*, p. 7,294.

145 FORSYTH, P. T. *Positive Preaching and The Modern Mind*. Rondon: Independent Press, 1907, p. 109-10.

146 AZURDIA, Arturo G. *Spirit Empowered Preaching: Involving the Holy Spirit in Your Ministry*, p. 14.

Notas

[147] SPURGEON, Charles Haddon. *An All-Round Ministry: A Collection of Addresses to Ministers and Students*, p. 322.

[148] SIBBES, Richard. *Works of Richard Sibbes*. Vol. 7. Carlisle, Pennsylvania: The Banner of Truth Trust, 1978, p. 199.

[149] SPURGEON, Charles Haddon. *Gemns from Spurgeon*. ed. By James Alexander Stewart. Asheville, North Caroline: *Revival Literature*, 1966, p. 12.

[150] STOTT, John. *Between Two Words – The Art of Preaching in the Twentieth Century*, p. 334; AZURDIA, Arturo G. *Spirit Empowered Preaching: Involving the Holy Spirit in Your Ministry*, p. 112.

[151] AZURDIA, Arturo G. *Spirit Empowered Preaching: Involving the Holy Spirit in Your Ministry*, p. 116.

[152] SANGSTER, W. E. *Power in Preaching*. Nashville, Tennessee: Abingdon Press, 1958, p. 107.

[153] AZURDIA, Arturo G. *Spirit Empowered Preaching: Involving the Holy Spirit in Your Ministry*, p. 12-13.

[154] DABNEY, R. L. *Evangelical Eloquence: A Course of Lectures on Preaching*, p. 117.

[155] DABNEY, R. L. *Evangelical Eloquence: A Course of Lectures on Preaching*, p. 116.

[156] OLFORD, Stephen F. *Anointed Expository Preaching*. Nashville, Tennessee: Broadman & Holman Publishers, 1998, p. 217.

[157] 1Tessalonicenses 1:5.

[158] 1Coríntios 2:4.

[159] Lucas 1:35.

[160] Hebreus 9:14.

[161] Atos 10:38.

[162] Lucas 24:49.

[163] WIERSBE, Warren. *The Dynamics of preaching*. Grand Rapids, Michigan: Baker Book House, 1999, p. 104-105.

[164] Números 11:29; 2 Samuel 23:2; 2 Crônicas 24:20; Neemias 9:30; Ezequiel 11:5.

[165] Atos 1:8; 2:1-14; 4:8; 4:31; 6:3,8,10; 8:4-8; 9:17-22; 11:24-26; 13:1-5, 9-12.

166 Zacarias 4:6.

167 MONTOYA, Alex. *Preaching with Passion*. Grand Rapids, Michigan: Kregel Publications, 2000, p. 22.

168 MONTOYA, Alex. *Preaching with Passion*, p. 22-23.

169 OLFORD, Stephen F. *Anointed Expository Preaching*, p. 227.

170 LLOYD-JONES, Martyn. *Preaching & Preachers*, p. 305.

171 DUEWEL, Wesley L. *Ablaze for God*. Grand Rapids, Michigan: Zondervan Publishing House, 1989, p. 302-303.

172 LLOYD-JONES, Martyn. *Preaching & Preachers*, p. 325.

173 LLOYD-JONES, Martyn. *Preaching & Preachers*, p. 97.

174 STOTT, John. *Between Two Words – The Art of Preaching in the Twentieth Century*, p. 285.

175 MONTOYA, Alex. *Preaching with Passion*, p. 22.

176 Lucas 24:32.

177 ALEXANDER, James W. *Thoughts on Preaching*. London, Great Britain: *The Banner of Truth Trust*, 1975, p. 20.

178 POLLOCK, John C. *George Whitefield and the Great Awakening*. London: *Hodder & Stoughton*, 1973, p. 263.

179 STOTT, John. *Between Two Words – The Art of Preaching in the Twentieth Century*, p. 276.

180 BAXTER, Richard. *Poetical Fragments*. London, Great Britain: Gregg International Publishers, 1971, p. 39-40; STOTT, John. *Between Two Words – The Art of Preaching in the Twentieth Century*, p. 277; LLOYD-JONES, Martyn. *Preaching & Preachers*, p. 86.

181 MURRAY, John. *Collected Works*, vol. 3. Edinburgh, Pennsylvania: The Banner of Truth Trust, 1982, p. 72.

182 MORGAN George Campbell. *Preaching*. Grand Rapids, Michigan: *Baker Book House*, 1974, p. 36; STOTT, John. *Between Two Words – The Art of Preaching in the Twentieth Century*, p. 284.

183 STOTT, John. *Between Two Words – The Art of Preaching in the Twentieth Century*, p. 270.

184 CRISWELL, W. A. *Criswell's Guidebook for Pastors*, p. 54.

185 STOTT, John. *Between Two Words – The Art of Preaching in the Twentieth Century*, p. 314.

Notas

[186] POLLOCK, John C. *Amazing Grace*. London: Hodder & Stoughton, 1981, p. 155.

[187] DAVIES, Horton. "Expository Preaching: Charles Haddon Spurgeon", em *Foundations* (January): 6:14-25, 1963, p. 13; STOTT, John. *Between Two Words – The Art of Preaching in the Twentieth Century*, p. 315.

[188] MONTOYA, Alex. *Preaching with passion*, p:13.

[189] SPURGEON, Charles Haddon. *Um Ministério Ideal - Vol. 2*. São Paulo: PES, 1990, p. 69.

[190] 1Tessalonicenses 2:7.

[191] HENDRIKSEN, William. *1 e 2 Tessalonicenses*. São Paulo: Cultura Cristã, 1984, p. 87.

[192] Atos 17:4.

[193] Atos 4:13,29,31.

[194] BARCLAY, William. *Filipenses, Colosenses, I y II Tesalonicenses*. Buenos Aires: La Aurora, 1973, p. 196.

[195] RIENECKER, Fritz e ROGERS, Cleon. *Chave Linguística do Novo Testamento Grego*. São Paulo: Vida Nova, 1985, p. 436.

[196] WIERSBE, Warren W. *Comentário Bíblico Expositivo - Vol. 6* Santo André: Geográfica 2006, p. 212,213.

[197] 1Tessalonicenses 2:3a.

[198] MARSHALL, Howard. *1 e 2 Tessalonicenses*. São Paulo: Vida Nova, 1980, p. 87.

[199] MARSHALL, I. Howard. *1 e 2 Tessalonicenses*, p. 88.

[200] WIERSBE, Warren W. *Comentário Bíblico Expositivo*, p. 213.

[201] 1Tessalonicenses 2:5.

[202] 1Tessalonicenses 2:9; 2Tessalonicenses 3:8-10.

[203] 1Coríntios 9:1-18.

[204] HENDRIKSEN, William. *1 e 2 Tessalonicenses*, p. 91.

[205] MARSHALL, Howard. *1 e 2 Tessalonicenses*, p. 88.

[206] RIENECKER, Fritz e ROGERS, Cleon. *Chave Linguística do Novo Testamento Grego*, p. 436.

[207] Marcos 3:14.

[208] BARCLAY, William. *Filipenses, Colosenses, I y II Tesalonicenses*, p. 197.

De pastor a pastor

[209] RIENECKER, Fritz e ROGERS, Cleon. *Chave Linguística do Novo Testamento Grego*, p. 436.

[210] Marcos 7:6.

[211] 1Tessalonicenses 1:5; 2:1,5,11;3:3,4;4:2;5:2.

[212] 1Tessalonicenses 2:5.

[213] MARSHALL, Howard. *1 e 2 Tessalonicenses*, p. 90.

[214] BARCLAY, William. *Filipenses, Colosenses, I y II Tesalonicenses*, p. 198.

[215] RIENECKER, Fritz e ROGERS, Cleon. *Chave Linguística do Novo Testamento Grego*, p. 437.

[216] HENDRIKSEN, William. *1 e 2 Tessalonicenses*, p. 94.

[217] Tito 1:11; 1Coríntios 6:15; Atos 20:33; 1Coríntios 11:8; Filipenses 4:15,16; 1Tessalonicenses 2:7-9; Atos 18:13; 2Coríntios 11:7; 2Tessalonicenses 3:8,10.

[218] WIERSBE, Warren W. *Comentário Bíblico Expositivo*, p. 213,214.

[219] João 10:11.

[220] 1Reis 3:16-28.

[221] 1Pedro 2:1-3.

[222] WIERSBE, Warren W. *Comentário Bíblico Expositivo*, p. 214.

[223] Filipenses 4:15,16.

[224] 1Tessalonicenses 2:7.

[225] 2Tessalonicenses 3:6-12.

[226] Atos 20:33; 2Coríntios 12:14.

[227] MARSHALL, Howard. *1 e 2 Tessalonicenses*, p. 97.

[228] RIENECKER, Fritz e ROGERS, Cleon. *Chave Linguística do Novo Testamento Grego*, p. 438.

[229] RIENECKER, Fritz e ROGERS, Cleon. *Chave Linguística do Novo Testamento Grego*, 438.

[230] WIERSBE, Warren W. *Comentário Bíblico Expositivo*, p. 215.

[231] WIERSBE, Warren W. *Comentário Bíblico Expositivo*, p. 217-221.

[232] MARSHALL, Howard. *1 e 2 Tessalonicenses*, p. 100.

[233] 1Tessalonicenses 1:6

[234] Salmos 19:10.

[235] Salmos 119:14,72,127,162.

[236] 2Timóteo 4:2,3.

Notas

[237] MARSHALL, Howard. *1 e 2 Tessalonicenses*, p. 102.

[238] MARSHALL, Howard. *1 e 2 Tessalonicenses*, p. 110.

[239] BARCLAY, William. *Filipenses, Colosenses, I y II Tesalonicenses*, p. 200,201.

[240] RIENECKER, Fritz e ROGERS, Cleon. *Chave Linguística do Novo Testamento Grego*, p. 439.

[241] HENDRIKSEN, William. *1 e 2 Tessalonicenses*, p. 112.

[242] 1Tessalonicenses 1:10.

[243] 1Tessalonicenses 2:19,20.

[244] BARCLAY, William. *Filipenses, Colosenses, I y II Tesalonicenses*, p. 201.

[245] Provérbios 11:30.

[246] Atos 9:16.

[247] Gálatas 6:17.

[248] 2Coríntios 11:23-28.

[249] Romanos 8:18.

[250] 2Coríntios 4:17.

[251] Neemias 4-6.

[252] 1Samuel 30:6.

[253] Mateus 5:1-12; 1Pedro 4:12-16; Tiago 1:2-4.

[254] 2Timóteo 4:9.

[255] 2Timóteo 4:11.

[256] 2Timóteo 4:21.

[257] 2Timóteo 4:10.

[258] 2Timóteo 4:16.

[259] 2Timóteo 4:14.

[260] 2Timóteo 4:15.

[261] 2Timóteo 4:13,21.

[262] 2Timóteo 4:21.

[263] 2Timóteo 4:6.

[264] Apocalipse 14:13.

[265] Atos 20:24.

[266] Atos 7:56.

[267] Salmos 23:4.

[268] Daniel 3:24,25.

De pastor a pastor

[269] Daniel 6:16-23.

[270] Filipenses 1:21.

[271] Salmos 116:15.

[272] Apocalipse 14:13.

[273] João 14:1-3; 2Coríntios 5:8.

[274] Filipenses 1:23.

[275] 2Timóteo 4:5.

[276] 1Timóteo 5:17.

[277] Atos 20:24.

[278] 1Pedro 5:3.

[279] 1Timóteo 6:10.

[280] Salmos 133:1-3.

[281] 1Timóteo 5:17.

[282] 1Timóteo 3:1.

[283] WIERSBE, Warren W. *Comentário Bíblico Expositivo*, p. 783-788.

[284] WIERSBE, Warren W. *Comentário Bíblico Expositivo*, p. 783,784.

[285] 1Coríntios 9:1; Atos 1:21,22.

[286] 2Coríntios 9:1,2; 12:12.

[287] Atos 2:32; 3:15; 5:32; 10:39-43.

[288] 1Coríntios 15:8; 2Coríntios 12:12.

[289] 1Coríntios 15:8.

[290] Gálatas 1:11,12.

[291] 2Coríntios 12:12.

[292] 1Coríntios 9:1,2.

[293] 1Coríntios 9:2.

[294] 1Coríntios 4:15.

[295] 1Coríntios 9:2.

[296] 1Coríntios 9:4-6.

[297] 1Coríntios 9:5.

[298] 1Coríntios 9:3,4,6.

[299] 1Coríntios 9:12.

[300] 1Coríntios 9:15.

[301] 1Coríntios 9:15b.

[302] 1Tessalonicenses 2:9.

Notas

303 1Tessalonicenses 2:9.

304 Atos 20:33,34.

305 1Coríntios 9:12.

306 1Coríntios 9:19.

307 1Coríntios 9:22.

308 1Coríntios 9:7.

309 1Coríntios 9:8-12.

310 1Timóteo 5:17,18.

311 1Coríntios 9:11.

312 Romanos 15:26,27.

313 Gálatas 6:6.

314 Filipenses 4:15,16; 2Coríntios 11:8,9; 12:11-13.

315 1Coríntios 9:12.

316 1Coríntios 9:12; 2Tessalonicenses 3:6-9.

317 2Coríntios 11:8,9.

318 2Coríntios 12:11-13.

319 1Coríntios 9:13.

320 1Coríntios 9:14.

321 WIERSBE, Warren W. *Comentário Bíblico Expositivo*, p. 785-788.

322 1Coríntios 9:15-18.

323 1Coríntios 9:12.

324 2Coríntios 2:17.

325 1Coríntios 9:15.

326 1Coríntios 9:16.

327 1Coríntios 9:19,21-23.

328 1Coríntios 9:19.

329 BARCLAY, William. *I y II Corintios*, p. 95.

330 1Coríntios 9:19-23.

331 1Coríntios 9:24-27.

332 BARCLAY, William. *I y II Corintios*, p. 97,98.

333 1Coríntios 9:27.

334 MORRIS, Leon. *1Coríntios: Introdução e Comentário*. São Paulo: Mundo Cristão, 1983, p. 112.

335 Mateus 25:21.

Sua opinião é importante para nós.
Por gentileza, envie-nos seus comentários pelo e-mail:

editorial@hagnos.com.br

Visite nosso site:

www.hagnos.com.br